超難問クロスワード

脳を活性化する「調べて解く」トレーニング

悪戦苦闘編

キューパブリック制作

主婦と生活社

たしかに難しい。

はじめに

　このたびは、『超難問クロスワード 悪戦苦闘編』を手に取ってくださり、ありがとうございます。

　本書は、日本経済新聞日曜版「NIKKEI The STYLE」で連載している「Challenge！CROSSWORD」から60問を掲載したもので、3月に発売された『超難問クロスワード 難攻不落編』に続くシリーズ2冊目にあたります。

「NIKKEI The STYLE」の前編集長で現在、日経新聞の文化やライフスタイル報道部門を統括する武類祥子さんによると、ニューヨーク・タイムズやフィナンシャル・タイムズをはじめとする欧米の高級ニュースペーパーには、伝統的にクロスワードパズルが掲載されており、休日の朝にコーヒーを飲みながらそれを解くのが、ハイクラス層の暮らしの中に浸透しているのだそう。日本にもそんな習慣が根付き、知的好奇心の強い人たちが満足してくれたら……。そんな思いから、「NIKKEI The STYLE」に難問クロスワードが掲載されることになったのです。

「難しいクロスワード」を実際に制作しているのは、クイズやパズルなどの制作を専門に手がける「キューパブリック」というプロダクション。代表の西脇正純さんは、早稲田大学クイズ研究会出身で、1983年に創刊された伝説のパズル雑誌『パズラー』の編集や問題作成に携わったのを契機に、クイズを作り続けて40年。クロスワードをはじめ、ナンクロ、漢字パズル、謎解きクイズなどといった、さまざまなクイズやパズルを考案してきました。その活躍は雑誌や書籍、テレビ番組、ゲームなど多岐にわたります。

　難問クロスワードを生み出すのは、一筋縄ではいきません。キューパブリックのオフィスには、厚さ10cmを優に超える辞書や百科

事典をはじめ、多種多彩な本が何冊も並んでいました。そうして所有している資料には、もう何度も目を通していると言います。

　膨大な知識を持っている西脇さんですが、「僕なんてまだ本を読んでいないほう」と、どこまでも謙虚。「本当に教養のある人は、こんな資料なんて見なくても、記憶の中から小説の一節などを引っ張ってこれる」と語ります。

　彼を突き動かすのは、尽きせぬ興味。教養のある「本物」の人たちに一歩でも近づきたいと願い、日々努力を積み重ねているのだそう。そういった意味では、今この『超難問クロスワード』を手にしているみなさまも、制作者と同じ土俵の上に立っていると言えます。「知識のための知識ではなく、教養のための教養ではなく、現代の生活にもつながる言葉をクロスワードを通して、つないでいきたい」という考えから編み出されるクロスワードは、まさしく知識の宝庫の賜物です。

好奇心が続く限り、若さは失われない

　脳の専門家・霜田里絵さんも「難しいクロスワードに挑戦するのは、新しい言葉と触れ合えるチャンス。クロスワードを解く過程で覚えた単語の中から、何か心を惹かれるようなものが見つかり、それに関連する本を一冊でも読むことができたら素敵だなと思います」と語ります。

　クロスワードを解くことは脳によいという確かな研究結果があることも見逃せません。イギリスで実施された「PROTECT研究」のデータからは、クロスワードパズルや数学パズルをやる人は、やらない人に比べて短期記憶力が8歳、文法的推論能力が10歳も若かったという結果が導き出されました。また、2003年に行われた「ブロンクス加齢研究」では、認知症になってからもクロスワードを日常的に行

うことで、記憶の喪失が2.54年分遅くなったことが明らかになっています。

　しかし、このような研究で証明されなくとも、いろいろな物事に興味を示し、能動的に動くことこそが若さであり、生命の輝きであることは明らかです。

　知識を増やしていくことは、人生を楽しくする秘訣。本書のクロスワードで悪戦苦闘しながら、知識を吸収する喜びを感じていただけることを願っております。

『超難問クロスワード』編集スタッフ一同

煮詰まったときは体を動かすと、答えが浮かんでくる!?

「あれ……一体なんだっけ？」──答えが喉まで出かかっているのに、なかなか思い出せないことってありますよね。実は、脳を最も活性化させるのは、暗記でも計算でもなく、運動。だから、体を動かすことで脳が活性化され、思い出せなかった単語が出てくることもあるのです。ドラマで探偵や刑事が、部屋の中を歩き回りながら推理をしているシーンを見たことがある人もいると思いますが、もしかしたら彼らは歩く＝運動することで脳が活性化することを感覚的につかんでいるのかもしれませんね。

　運動をするといっても、筋トレなどといった激しい動きをする必要はありません。その場で30回ほど足踏みをしたり、5分間程度のストレッチをする程度で十分です。あえて言うなら、いちばんのおすすめは、掃除をすること。机やキッチンを磨くリズミカルな動きで脳がリフレッシュします。しかも、家もキレイになって一石二鳥！　動くのがあまり好きではないという人は、いたずら書きや塗り絵、編み物などをするのもあり。手を動かすことで気分転換でき、脳がクリアになりますよ。

　クロスワードは、家の中で集中してやる人がほとんどだと思いますが、クロスワードを持って散歩に出かけるのもおすすめ。公園のベンチでひとつ調べて、別の問題を考えながら歩いて、カフェに入って書き入れて、電車の中でまた調べて……というように、ときにはクロスワードと共に休日を過ごすのも、脳にとって大変よいことだと思います。

銀座内科・神経内科クリニック
霜田里絵 院長
SATOE SHIMODA

順天堂大学医学部卒業後、脳神経内科医局を経て都内の病院に勤務。2005年、銀座内科・神経内科クリニック開院。著書に『脳の専門医が教える40代から上り調子になる人の77の習慣』（文藝春秋）、『100歳まで絶対ボケない「不老脳」をつくる！』（マキノ出版）などがある。

超難問クロスワードの楽しみ方

①タテのカギとヨコのカギを見て、まずはすぐにわかるものから埋めていきましょう。
②どこかが埋まったら、クロスしている文字をヒントに答えを探し出してください。
③わからないときは、スマホやパソコン、辞書などを使って調べてもOKです。
④文字数の多い単語を調べると、それだけたくさんのヒントが生まれます。すべて調べて埋めてしまってもいいですが、カギをひとつ埋めるごとに、ほかにわかる部分はないか改めて考えてみましょう。
⑤すべて埋まったら、P.126以降の解答を見て答え合わせをしましょう。

さらにおすすめの使い方！

●繰り返し解くことが、脳の活性化にもつながります。コピーをとるか、鉛筆や消せるペンなどを使って何度かチャレンジしてみましょう。
●すべての文字が埋まったら、右下の記入欄に解答日とかかった時間を書き入れましょう。解答にかかる時間が短くなったら、脳がレベルアップした証拠です。
●解答ページを見るときは、カタカナだけでなく、一般的な表記も確認するのがおすすめ。できれば、実際に紙に書いてみましょう。記憶として脳に定着しやすくなります。

解答日	月	日
時　間		分

クロスワードの基本的なやり方

●タテのカギとヨコのカギをヒントにして、カタカナで言葉を埋めていきます。
●1マスにはカタカナ1文字が入ります。
●タテのカギは盤面にある数字の書かれたマスから下方向に、ヨコのカギは数字の書かれたマスから右方向に書き入れます。
●タテのカギとヨコのカギが交差する部分は、同じ文字が入ります。解答のヒントにしてください。
●小さい「ャ」「ュ」「ョ」「ッ」などは、大きい「ヤ」「ユ」「ヨ」「ツ」などと同じ文字として扱います。
●「ドーム」、「ビーナス」などの「ー」は、そのまま「ー」として書き入れます。「ドオム」「ビイナス」とはなりません。

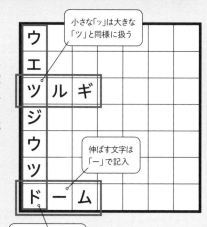

足が速い人の代名詞とされる 仏法の守護神?

タテのカギ

1. ボードリヤールが消費社会や情報社会の特徴を分析するのに用いた、オリジナルのない記号、模像のこと
2. カンブリア紀〜ペルム紀(二畳紀)に至る地質年代
3. 中国料理でスープのこと
4. 現存するキリスト教建築物としては日本最古、長崎の〇〇〇〇天主堂
6. ユーラシア大陸最西端に位置する、ポルトガルの〇〇岬
8. 自動車、自転車で、車輪の外周の枠
9. 著書『経営の統一理論』などで知られる、米の経営学者
11. 低カロリーの人工甘味料が採れることで知られるキク科の植物
13. 奈良時代に称徳天皇の発願によってつくられた、百万塔〇〇〇
15. ワーグナーの行進曲『双頭の〇〇の旗の下に』
17. 学名はニッポニア・ニッポン

ヨコのカギ

1. 1862年5月5日、プエブラの戦いでフランス軍を撃退したことを記念したメキシコの祝日、〇〇〇・デ・マヨ
3. 「目には目を、歯には歯を」で表される同害報復を意味するラテン語
5. 英語ではパブリック・オピニオン
7. アルキメデスが金の純度を量る方法を発見したときに言ったとされる「見つけた」という意味の語
9. 仏教の根本真理で、永遠不変の固定的実体がないこと
10. 1970年、日本最初の人工衛星「おおすみ」を軌道に乗せるのに成功した、〇〇〇−4Sロケット
11. 『グランド・ジャット島の日曜日の午後』など、点描画で知られる画家
12. 足が速い人の代名詞とされる、仏法の守護神
14. 主に関東地方で実を「どどめ」という植物
16. マラソンのペースメーカーのこと
18. 第一次世界大戦で米国の対独参戦を促す要因となった、1915年5月7日にUボートにより撃沈された客船の名

第1問 解答欄

1		2	■	3		4
	■	5	6		■	
7	8			■	9	
10			■	11		
	■	12	13			■
14	15	■	16			17
18					■	

解答=126ページ

解答日　　月　　日	解答日　　月　　日
時　間　　　　分	時　間　　　　分

解答日　　月　　日	解答日　　月　　日
時　間　　　　分	時　間　　　　分

沖縄周辺に伝わる妖怪で ガジュマルなどの樹木の精霊？

タテのカギ

1. 稗田阿礼が誦習した『古事記』を編纂して元明天皇に献上した文官
2. 英国の通貨・重量の単位・ポンドの記号「£」「lb」は、古代ローマで「天秤」を意味するこの言葉に由来する
3. 沖縄周辺に伝わる妖怪で、ガジュマルなどの樹木の精霊
4. ヨコ8の対語で、和歌のこと
7. インドネシアでは珍しくヒンズー教徒が大多数の島
9. もとは高遠城主・内藤氏の下屋敷だった、〇〇〇〇〇御苑
11. 牛の第二胃・ハチノスを中心にした、イタリアの煮込み料理
12. バックパッカーの人気も高い、パキスタン最北端の山岳地域。中国の新疆ウイグル自治区に至るカラコルム・ハイウエーが通る
13. 1968〜74年に刊行されていた、米のヒッピー向け雑誌『ホール・〇〇〇・カタログ』。1970年代日本の若者雑誌にも影響を与えたとされる
15. 中国語で数字の1

ヨコのカギ

1. 幕末の旗本で軍制改革に尽くすも、新政府軍に処刑された〇〇〇上野介。名は忠順
3. 天地が崩れて落ちるのを憂いたという中国の故事に由来する熟語
5. 3代目で東西に分かれた落語家の名で、桂派の祖、桂〇〇〇
6. シューベルト、ウェルナーなどによる歌曲も有名な、ゲーテの詩
8. タテ4の対語で、狂歌のこと
10. 前田利家の若き日の異名、〇〇の又左
11. 天下に並ぶ者のない人のこと、〇〇〇の一人
12. 浅黄水仙、香雪蘭ともいわれるアヤメ科の植物
14. ロマネスク様式の大聖堂が立つ、中世ドイツ・カトリック教会の中心地
16. アルプス、ヒマラヤなどの山脈に見られる浸食谷、〇〇字谷
17. 1955年に起きたモンゴメリー・バス・ボイコット事件のきっかけとなった、米国の公民権運動活動家

第2問 解答欄

¹		²	■	³		⁴
	■	⁵			■	
⁶	⁷		■	⁸	⁹	
¹⁰		■	¹¹			■
	■	¹²				¹³
¹⁴	¹⁵		■		¹⁶	
¹⁷						

解答=126ページ

解答日　　　月　　　日	解答日　　　月　　　日
時　間　　　　　　分	時　間　　　　　　分
解答日　　　月　　　日	解答日　　　月　　　日
時　間　　　　　　分	時　間　　　　　　分

クサンティッペは、西洋では この代名詞とされる?

タテのカギ

1. 13世紀初頭にフィボナッチが『算盤の書』によって欧州に紹介した、インドに起源をもつもの

2. メグ、ジョー、ベス、エイミーの四姉妹が主人公、『○○○○物語』

3. 1733年に飛び杼を発明し、産業革命を促した発明家、ジョン・○○

4. 世界三大珍獣の一つといわれる、キリンの仲間

5. 三十年戦争の戦地としても知られるドイツ・ロマンチック街道沿いの都市。14世紀に建造された囲壁などの歴史的景観でも有名

8. 2018年に亡くなったホーキング博士がペンローズとともに発表した「○○○○○定理」

10. かつては原始的な霊長目とされていたが現在では独立した目を成す、キネズミやリスモドキとも呼ばれる動物

12. 江戸川乱歩の短編推理小説、『人間○○』

16. 「盥」の読み

18. 辺野古岬、リゾートホテルのザ・ブセナテラス、緋寒桜の名所である城跡などで知られる沖縄県の市

ヨコのカギ

1. 本居宣長が京都遊学時代に書いたとされる歌論書

6. 牛肉か豚肉の薄切りと玉ねぎを甘辛く卵とじにしてのせた○○○丼

7. 三島由紀夫が1957年に発表して一世を風靡した小説『○○○のよろめき』

9. 父は大、息子は小と呼ばれ、18～19世紀初頭の英国政界の指揮を執った政治家、ウィリアム・○○○

11. クサンティッペは西洋ではこの代名詞とされる

13. 1966年公開の米仏合作の戦争映画『○○は燃えているか』

14. カワセミのメスのこと。オスは「翡」

15. 第一次大戦後に現れたヘミングウェイら米国の若い作家たちを「失われた世代」と命名した米の女性作家、ガートルード・○○○○

17. 極楽往生した者が座るという蓮華の座。蓮の○○○

19. 漢字四字の元号のうち、唯一「神」で始まる元号

第3問 解答欄

1		2	3	4		5
	■	6			■	
7	8		■	9	10	
11			12	■	13	
14		■	15	16		
17		18	■		■	
19						

解答=126ページ

解答日　　月　　日	解答日　　月　　日
時　間　　　　分	時　間　　　　分
解答日　　月　　日	解答日　　月　　日
時　間　　　　分	時　間　　　　分

FIFAワールドカップ
第1回の開催国で優勝国?

タテのカギ

1. 上・下に分かれる、『源氏物語』のなかで最長の巻
2. 江戸時代の出版人で、大田南畝や山東京伝ら多くの作者と親交があった、〇〇〇重三郎
3. 古代インドで発見されたといわれる数
4. ミロス・フォアマン監督の映画で、1975年度の第48回アカデミー賞に輝いた『〇〇〇〇の巣の上で』
5. 米国人のアンクル・サムと同じく、典型的な英国人を表す名称
8. 古代ギリシャ哲学の基本語の一つ。宇宙万物の一切を支配する理法
9. FIFAワールドカップ第1回の開催国で優勝国
10. 漢字で「蒲公英」。西洋では「ダンデライオン」とも呼ばれる植物
11. 新約聖書で洗礼者ヨハネの首を所望した王女。オスカー・ワイルドの戯曲などでも知られる
13. 剣道の決まり手の一つ

ヨコのカギ

1. 「過去に目を閉ざす者は、現在に対してもやはり盲目となる」という演説で知られる、ドイツの大統領
5. 1958年、南極で置き去りになったが1年後に救出された樺太犬の兄のほう
6. フランスの詩人アンドレ・ブルトンが著した、シュールレアリスムの代表作とされる小説
8. 18世紀後半の人気歌舞伎俳優、二代目・瀬川菊之丞の俳名。櫛や髱、茶などにその名を残した
10. 1913年にアジア人初のノーベル賞を受けたインドの詩人・思想家
11. 映画祭にも名を残す、映画『明日に向って撃て！』でのロバート・レッドフォードの役名、ザ・〇〇〇〇〇・キッド
12. テニスでボールを相手の頭上より高く打ち上げて返球すること
13. その企業独自の中核的技術・業務・能力のこと、〇〇・コンピタンス
14. 両義性の哲学、身体性の哲学などと称される独自の現象学を切り開いたフランスの哲学者。主著『知覚の現象学』『見えるものと見えないもの』

第4問 解答欄

1		2	3		4	
	■	5		■		■
6	7		■	8		9
■		■	10			
11					■	
12		■		■	13	
14						

解答=127ページ

解答日　　月　　日		解答日　　月　　日
時　間　　　　　分		時　間　　　　　分
解答日　　月　　日		解答日　　月　　日
時　間　　　　　分		時　間　　　　　分

ほぼ赤道直下の高地にある エクアドルの首都?

タテのカギ

1. 英ダービー、オークスが開催される〇〇〇〇競馬場

2. 海や川に近い場面で、大太鼓を長撥で強い抑揚をつけて打つ歌舞伎囃子

3. 富士山頂の火口北壁、久須志岳の南西面に湧き出す霊水とされる泉

4. 坂東太郎は〇〇川の異称

5. 道理や道徳にかなっていることと反していること、〇〇曲直

7. 20世紀を代表するファンタジー『指輪物語』で知られる作家

8. モーツァルトの交響曲第36番の愛称でもある、オーストリアの都市

11. 核酸を構成する塩基の一つで、Cと略される

13. 赤道は〇〇〇のなかで唯一の大円

14. 『荀子』中の語句、青は〇〇より出でて〇〇より青し

15. 夏目漱石が書いた最後の随筆『硝子戸の中』の「中」の読み

ヨコのカギ

1. ベトナム最後の王朝、阮朝が初めに用いた国号

3. ほぼ赤道直下の高地にある、エクアドルの首都

5. 18世紀に生物分類学の方法を確立した、スウェーデンの博物学者

6. 記紀にみられる、美しい肌の色が衣を通して照り輝いたという姫

9. シャガールやピカソがラベルを描いたことでも知られる、ボルドーワインの五大シャトーの一つ、シャトー・〇〇〇〇・ロートシルト

10. ことわざ「〇〇の上にも三年」

12. 孤児オリバーの成長を描くディケンズの小説『オリバー・〇〇〇〇』

14. 鳴子、飯坂とともに「奥州の三名湯」とされる、宮城県の〇〇〇温泉

16. 王昭君、楊貴妃らと並ぶ中国四大美女の一人で、「顰に倣う」という成句の由来にもなった女性

17. 朝鮮戦争で国連軍上陸作戦の舞台としても知られる、韓国の港湾都市

第5問 解答欄

1		2		■	3	4
	■		5			
6	7		8			■
9			■	10	11	
■		■	12	13		
14		15	■	16		
17				■		

解答=127ページ

解答日　　月　　日	解答日　　月　　日
時　間　　　　分	時　間　　　　分
解答日　　月　　日	解答日　　月　　日
時　間　　　　分	時　間　　　　分

第6問　仏門に帰依して具足戒を受けた男子、修行僧のこと?

タテのカギ

1. 無声映画時代に数々の手法を開拓したD・W・グリフィス監督による、1916年公開の映画。四つのエピソードが同時進行で絡まり合う
2. 米の発明家、シンガーが1851年に設立したのは〇〇〇製造会社
3. 漢字では「温突」と書く、朝鮮半島などで用いられる暖房装置
4. 魚のボラがさらに出世した名前
5. 諸子百家の名家の一人で、堅白同異、白馬非馬論で知られる詭弁家
8. 代表作は『地獄の門』。近代彫刻の父
10. 清廉潔白な人のたとえとされる、〇〇〇・叔斉
11. 仏門に帰依して具足戒を受けた男子、修行僧のこと
13. 「四面楚歌」の舞台となった、漢の高祖が楚の項羽を包囲した地
16. 代表作は『記憶の固執』。シュールレアリスムの巨匠

ヨコのカギ

1. マルセル・デュシャンが1917年に制作した、便器に署名しただけのレディ・メイドのオブジェ
3. 『伊勢物語』の有名な冒頭部、「むかし、〇〇〇ありけり」
6. 比叡山の西麓にある、江戸初期の漢詩人・書家の石川丈山の居宅
7. 1984年に開始された、理想的なコンピューター・アーキテクチャーの構築を目的としたプロジェクト
9. ギリシャ神話で、白鳥の姿になったゼウスとの間にポリュデウケスとヘレネを生んだ女性、スパルタ王テュンダレオスの妻
10. 伊藤博文が暗殺された地としても知られる、中国・黒竜江省の省都
12. 1815年に著された杉田玄白の手記、『〇〇〇〇事始』
14. 寺の台所のこと
15. 俳誌『雲母』を主宰、句集『山廬集』で知られる俳人、〇〇〇蛇笏
17. 山形県尾花沢、鳥取県大栄などがブランドとして知られる作物
18. 中国で鳳・麟・亀とともに四瑞の一つ

第6問 解答欄

1		2	■	3	4	5
	■	6				
7	8		■		■	
9	■	10			11	
12	13		■	14		
■	15		16		■	
17		■	18			

解答=127ページ

解答日　　　月　　　日	解答日　　　月　　　日
時　間　　　　　　分	時　間　　　　　　分

解答日　　　月　　　日	解答日　　　月　　　日
時　間　　　　　　分	時　間　　　　　　分

化粧水のオーデコロンは「○○○の水」の意味?

タテのカギ

1. 投資界の巨人ウォーレン・バフェットの異称、「○○○の賢人」
2. ことわざ「羹に懲りて○○○を吹く」
3. 江戸時代の上方で富豪の代名詞とされた、○○○○○善右衛門
4. 1867年、「経済学批判」の副題をつけて第1巻が刊行された、社会科学の古典
6. 滋賀県近江八幡市にあり、古来、歌枕として有名な○○○の森
8. ギリシャ正教会で祭るキリストや聖母などの画像
10. 日本の茶人が珍重したものには砧の名称がついた器
11. 薄切りの豚肉・子牛肉などに小麦粉をまぶし、溶き卵をつけて油で焼いた洋食
13. 城をかたどったチェスの駒。将棋の飛車にあたる
15. 女性として二人目の英国首相、テリーザ・○○

ヨコのカギ

1. ボーヴォワール著『第二の性』の有名な一節「人は○○○に生まれるのではない、○○○になるのだ」
3. 中国・春秋時代を代表する思想家。名は丘、字は仲尼
5. シューベルトが18歳のときにゲーテの詩に作曲した、バラード形式の歌曲
7. 漢の韓信が趙を攻めたときの故事に由来する言葉
9. 質素な暮らしをすること。○○粗食
10. 古代アジアの遊牧民族で、五胡の一つ
12. 化粧水のオーデコロンは「○○○の水」の意味
14. 古代ギリシャの哲学者ゼノンによる、運動を否定するパラドックスの一つ「アキレスと○○」
16. エル・グレコの作品群やフラ・アンジェリコの壁画が有名な、絵画のモチーフ

第7問 解答欄

1		2	■	3		4
	■	5	6		■	
7	8					
■		■	9		■	
10		11	■	12	13	
	■	14	15	■		■
16						

解答=127ページ

解答日　　月　　日	解答日　　月　　日
時　間　　　　分	時　間　　　　分

解答日　　月　　日	解答日　　月　　日
時　間　　　　分	時　間　　　　分

正式な国名は原語で「低地」を意味する、欧州の国?

タテのカギ

1. 量子力学建設の中心人物で、行列力学・不確定性原理を提唱した、ドイツの理論物理学者
2. 現在の静岡県西部にあたる旧国名。遠州の正式名
3. 「山下財宝」の伝説でも知られる山下奉文将軍の異称、マレーの〇〇
4. 気体の液化が起こる温度・圧力の上限
5. 日本初の女子留学生のなかで最年少、女子英学塾を開いた〇〇梅子
8. 米大リーグでいまだに破られていない通算511勝を挙げた大投手
11. 漢字で「痿」または「痿痢」と書く狂言の演目
13. 『戦国策』の故事に由来することわざ「死馬の〇〇を買う」
14. 鯨の皮を加工した、おでんや煮物などに用いる食品

ヨコのカギ

1. クリケットで一つの回で3球で打者3人をアウトにした際、賞として帽子を贈ったことに由来するスポーツ用語
6. 正式な国名は原語で「低地」を意味する、欧州の国
7. 木村栄が1902年に発見した、地球の極運動に関する式に加えられた項。〇〇〇項
9. フィレンツェにある、ルネサンス絵画のコレクションで知られる〇〇〇〇〇美術館
10. 天狗や鬼神に扮するときに用いる能面
12. 英国の古活字の大きさの一つに由来する、振り仮名を表す言葉
13. 「金儲けの神様」と呼ばれた作家、邱永漢の直木賞受賞作
15. 半透明の体で知られる、ハダカカメガイ科の巻き貝
16. 対数を表す略称

第8問 解答欄

1		2	3	4	5	
	■	6				■
7			■		■	8
	■	9				
10	11		■		■	
12		■	13		14	
15				■	16	

解答＝128ページ

解答日	月	日		解答日	月	日
時　間		分		時　間		分

解答日	月	日		解答日	月	日
時　間		分		時　間		分

第9問 徳川幕府で大御所時代とは 将軍・○○○○の治世?

タテのカギ

1. 「水枕ガバリと寒い海がある」などの新興俳句で知られる俳人
2. 航空路線に関する、自国から協定の相手国を経由して第三国へ乗り入れる権利
3. キューバの民俗舞踊や舞曲、または打楽器の名前
4. 1950年にフランス隊が主峰に登頂、人類初の8000メートル峰登頂を記録した、ヒマラヤ山脈に属する山群
5. 香港や広州における共通語
9. 本尊十一面観音に対する信仰が『源氏物語』『枕草子』にも記される、奈良県の○○寺
11. 胚性幹細胞、英語の頭文字をとって○○○○細胞
13. 米国の政治哲学者・ロールズの主著『○○○論』
15. ペルーの首都

ヨコのカギ

1. 公開当時、途中入場を禁止したエピソードでも知られる、アルフレッド・ヒッチコック監督の映画
4. グレシャムの法則とは「○○○は良貨を駆逐する」
6. 『長い旅』『王の没落』などで知られ、1944年にノーベル文学賞を受賞したデンマークの作家
7. ヌクアロファを首都とする、南太平洋に位置する王国
8. ドイツ語で「夜」
10. 陰陽道で7年間吉事が続くという年回り
11. 『人形の家』などで知られるノルウェーの劇作家
12. フランス・ロワール川上流のワイン産地。辛口の白ワインで有名
14. 徳川幕府における大御所時代とは、将軍○○○○の治世
16. 東部は中国の新疆ウイグル自治区と隣接する、中央アジアの共和国
17. バラモンの特権的身分を強調した、インドの○○法典

第9問 解答欄

1	2	3	■	4		5
6					■	
7			■	8	9	
10		■	11			
12		13			■	
	■	14			15	■
16				■	17	

解答=128ページ

解答日	月	日		解答日	月	日
時 間		分		時 間		分
解答日	月	日		解答日	月	日
時 間		分		時 間		分

肥前地方一帯でつくられる陶器の総称、○○○焼?

タテのカギ

1. 21歳でローマに出て、その後数年でサン・ピエトロ大聖堂の『ピエタ』を制作した、ルネサンスを代表する芸術家

2. ガムラン伴奏による、バリ島の古典的な女性舞踊

3. インド神話で闘争の鬼神、仏教では仏法の守護神ともされる神

4. シューマンの合唱曲『○○○の民』

5. 無調音楽を経て十二音音楽の作曲技法を創始した、オーストリアの作曲家

9. 欧州の民衆的慣行で、共同体の規範を逸脱した者に対する儀礼的な制裁。19世紀フランスの風刺新聞の名前でもある

11. 安部公房の芥川賞受賞作『壁』の第一部は「○○・カルマ氏の犯罪」

13. 肥前地方一帯でつくられる陶器の総称、○○○焼

15. 『史記』に由来する故事成語。○○を棄てて船を沈む

ヨコのカギ

1. 米国で2000年代に成年期を迎えた世代のこと、○○○○○世代

6. 卵からかえったばかりの蚕

7. 持統天皇の歌「春過ぎて 夏来にけらし ○○○○の 衣ほすてふ 天の香具山」

8. 独特の麺料理でも注目されている、中国西北地方、甘粛省の省都

10. 最後の琉球政府行政主席で本土復帰後の初代沖縄県知事、○○朝苗

11. 修験道の祖とされる「役行者」の読み、○○のぎょうじゃ

12. 名古屋コーチンなど、在来種由来の血が50%以上の国産銘柄鶏

13. ガンギエイの異称

14. バンカーとプレーヤーのどちらが勝つかに賭ける、賭け金が大きく動くことで知られるカジノゲーム

16. 20世紀を代表する哲学者の一人、ウィトゲンシュタインが生前に公刊した唯一の著書『○○○○○○論考』

第10問 解答欄

1	2		3	4	■	5
6		■	7			
8		9			■	
	■	10		■	11	
12			■	13		
	■	14	15		■	
16						

解答=128ページ

解答日	月	日		解答日	月	日
時　間		分		時　間		分

解答日	月	日		解答日	月	日
時　間		分		時　間		分

沖縄ではアバサーと呼ばれ、食用となるフグの仲間?

タテのカギ

1. 2001年に死去した、「20世紀最後の巨匠」と呼ばれたフランスの画家
2. アリストテレスがここで教えたことから彼の哲学学校の名称となった、古代ギリシャ・アテネの体育場の所在地
3. 英語で組曲の意
4. 明治時代に新聞『日本』を創刊して国民主義を鼓吹した、○○羯南
5. 硯のことを指す美称
7. 沖縄ではアバサーと呼ばれ、食用となるフグの仲間
11. 中国の神仙思想に由来する言葉、○○登仙
13. 10代で群論などの先見的な研究を行ったが、決闘により20歳で早世した、19世紀前半のフランスの数学者
16. ポルトガルのアジア進出における拠点で、天正遣欧少年使節も訪れたインドの地

ヨコのカギ

1. プリニウスの『博物誌』などに出てくる、砂漠に生息する想像上の怪獣で、頭に王冠の形の斑点を持つ蛇
6. 明治中期以降に海水浴場として開けた、相模湾に臨む海岸
8. ギリシャ神話の運命の女神。ローマ神話のフォルトゥナと同一視される
9. 米ネバダ州北西部のカジノでも有名な観光都市。「世界で最も大きい小都市」という愛称がある
10. 『チャタレイ夫人の恋人』の翻訳でも知られる小説家
12. 1957年～64年に放送された、テレビドキュメンタリーの草分け的番組『日本の○○○』
14. 菅原道真の異称
15. ことわざ「犬に○○○」
17. 韓国第2位の自動車メーカー、○○自動車
18. 漢字で「水黽」と書く、夏によく見る昆虫

第11問 解答欄

1		2	3	4	■	5
	■	6			7	
8				■	9	
	■	10		11		
12	13		■	14		
■	15		16	■		■
17		■	18			

解答=129ページ

解答日　　月　　日	解答日　　月　　日
時　間　　　　分	時　間　　　　分

解答日　　月　　日	解答日　　月　　日
時　間　　　　分	時　間　　　　分

第12問 『衣装哲学』を著した 19世紀英国の評論家・歴史家?

タテのカギ

1. ダンテの『神曲』で地獄と煉獄を案内する、古代ローマの詩人

2. ハイデガーの主著『存在と〇〇〇』

3. 藤原為時の娘で、夫の死後に一条天皇の中宮・彰子に仕え、日本最古の長編恋愛小説を書いた女性

4. 現在はどこにでもある施設で、もとは中国の明末から清代に発展した、同郷人・同業者のための組織または建物をさした言葉

5. 英の理論物理学者・ディラックが導入した、〇〇〇関数

8. 東北の松川・葛根田、九州の大岳・八丁原などにある〇〇〇発電所

11. 中国で人の悪夢を食べるといわれる想像上の動物

13. ユーカリの葉を主食とする、オーストラリアにすむ動物

14. 『言語史原理』を著したドイツの言語学者、ヘルマン・〇〇〇

16. 1953年に女子テニス史上初の年間グランドスラムを達成した、米国のコノリー選手の愛称、リトル・〇〇

ヨコのカギ

1. 沖縄でサトウキビのこと

3. 「蜈蚣」「百足」と書く節足動物

6. 『衣装哲学』を著した19世紀英国の評論家・歴史家

7. 毛細血管の強化に効果があるとされる、そばなどに含まれる成分

9. 戯曲『王将』で知られる大阪の棋士、〇〇〇三吉

10. 医学業界の用語で産婦人科医のこと

11. 『南総里見八犬伝』の作者、曲亭〇〇〇

12. 日本書紀から日本三代実録までの朝廷で編集された六つの史書をさす言葉

15. きわめて珍しいもの、決してないもののたとえ、〇〇〇兎角

17. ＥＵの欧州議会の本会議場などでも知られるフランス北東部、ライン川左岸に位置する都市

第12問 解答欄

1		2	■	3	4	5
	■	6				
7	8		■	9		
10		■	11			■
12		13			■	14
	■		■	15	16	
17						

解答=129ページ

解答日　　月　　日	解答日　　月　　日
時　間　　　　分	時　間　　　　分
解答日　　月　　日	解答日　　月　　日
時　間　　　　分	時　間　　　　分

五七七・五七七と片歌を
反復した形の和歌?

タテのカギ

1. 国際ペンクラブ会長も務めたペルーのノーベル賞作家。主な作品に『都会と犬ども』『緑の家』『世界終末戦争』など

2. 戦国時代に鉄砲で武装した僧兵集団を擁した、紀伊の〇〇〇寺

3. 1974年度アカデミー賞受賞作『ゴッドファーザー　PART〇〇』

4. 北欧神話の雷神トール(ソー)にちなんで名づけられた元素

5. まじめな劇・文学などを滑稽化したもの。「からかい」「悪ふざけ」の意のイタリア語が語源

8. 山頂近くにある寺は薬王院。東海自然歩道の起点でもある、標高599メートルの山

10. 『近代画家論』『この最後の者にも』などで知られる英の芸術批評家・社会思想家、ジョン・〇〇〇〇

11. 五七七・五七七と片歌を反復した形の和歌

16. 定席(じょうせき)とは常設の〇〇のこと

ヨコのカギ

1. 『小公子』『小公女』を書いた、英国生まれの米の女性作家

6. 戯曲『どん底』で知られるロシア(ソ連)の作家

7. 河童のこと。主に西日本でいう

9. 1950年代にジャマイカで発祥したポピュラー音楽。後にレゲエに発展

10. 古代エジプト第19王朝で60年以上の長きにわたって王に君臨した、〇〇〇〇2世

12. 『アーサー王物語』で円卓の騎士トリスタンが生まれた伝説的な地方

13. ことわざ「〇〇を食らわば皿まで」

14. 画家としても知られる江戸俳諧の巨匠、〇〇蕪村

15. ことわざ「田舎の学問より〇〇〇の昼寝」

17. 仏教でいう、われわれが住む世界の全体。高杉晋作が詠んだとされる都々逸でも有名

第13問 解答欄

1		2	3	4	■	5
	■	6				
7	8		■		■	
9		■	10		11	
12				■	13	
14		■	15	16		■
17						

解答=129ページ

解答日　　月　　日		解答日　　月　　日
時　間　　　　分		時　間　　　　分
解答日　　月　　日		解答日　　月　　日
時　間　　　　分		時　間　　　　分

人の行く先へ飛ぶことから
ハンミョウの俗称？

タテのカギ

1. 高度情報化社会の到来を予測した、A・トフラー1980年の著書
2. 観光地やカジノ地区としても知られる、韓国南西部の島
3. 江戸時代に中国から伝来した際には手車と呼ばれた、20世紀に数回のブームを呼んだ玩具
4. ことわざ「〇〇は熱いうちに打て」
5. 19世紀に起こった統一運動をリソルジメントと呼ぶ欧州の国
9. 陰暦7月15日を中心に行われる、祖先の霊を祭る仏教行事
11. 1952年にダド・マリノを破り、日本人初のボクシング世界チャンピオンとなった、〇〇〇義男
13. 漢字で「燐寸」と書く用具
16. レイ・ブラッドベリのSF小説『〇〇451度』
17. 約束の地とも呼ばれるカナンの聖書での描写、〇〇と蜜の流れる地

ヨコのカギ

1. 大正から戦前・戦後を描写した永井荷風の日記『〇〇〇〇〇〇〇日乗』
6. カロテンは動物の体内で代謝され、ビタミン〇〇となる
7. 長谷川伸の戯曲『一本刀土俵入』は、駒形茂兵衛とお〇〇の物語
8. 『マタイによる福音書』5〜7章の通称で、キリスト教にとって中心的な教義が述べられていることで知られる「〇〇〇〇〇の垂訓」
10. 世界最大の大陸
12. 遊牧民の意味で、現在ではIT機器を活用した場所にとらわれないワークスタイルの名称
14. 卵巣の塩漬けを「からすみ」という魚
15. ロバート・A・ハインラインの代表的SF『〇〇への扉』
16. 『金色夜叉』の主人公、間〇〇〇〇
18. 人の行く先へ飛ぶことから、ハンミョウの俗称

第14問 解答欄

1		2	3		4	5
	■	6		■	7	
8				9	■	
	■	10			11	
12	13		■	14		■
15		■	16			17
18				■		

解答=130ページ

解答日　　月　　日	解答日　　月　　日
時　間　　　　分	時　間　　　　分
解答日　　月　　日	解答日　　月　　日
時　間　　　　分	時　間　　　　分

律令制で国と里の間に位置する行政区画?

タテのカギ

1. 玉音放送を待たずに自決した終戦時の陸軍大臣。軍内部の派閥抗争には加わらず、無派閥を通した

2. 18世紀末〜19世紀にドイツ観念論を展開した哲学者。はじめ自然哲学から同一哲学、のちに積極哲学を提唱

3. ガラス工業でも知られる、プラハを含むチェコ西部を指す地名

4. 刑事裁判で、起訴の原因となる事由

7. 名は朝鮮語に由来する、欧州から東アジアに分布する小形の鹿

9. 現在も世界的な権威を誇る、英国で1869年に創刊された総合科学誌

11. リゾート地として知られるインドネシア・リアウ諸島の〇〇〇〇島

13. ウィーン〇〇〇を風刺した言、「〇〇〇は踊る、されど進まず」

15. 故事成語で「三顧の」「三枝の」に続く言葉

ヨコのカギ

1. 賢人宰相とされる、中国・春秋時代の斉の大夫。敬称でこう呼ばれる

3. ボース統計に従う性質を持つ、光子・パイ中間子などの粒子。フェルミオンに対する言葉

5. 厳しい修行でも知られる曹洞宗の大本山、〇〇〇〇寺

6. 法華経の異称、〇〇〇の花

8. 中世ドイツで騎士が身分の高い女性に対して抱く高潔な愛。〇〇〇ザングはこれをテーマとして発展した恋愛歌

10. 国名がコロンブスにちなむ中南米の国

12. 律令制で国と里の間に位置する行政区画

13. アダム・スミス、リカード、マルクスらが唱えた、労働〇〇説

14. 牛や豚の肉の部位で脾臓（ひぞう）の呼称

16. 静岡県などで猪追い小屋のこと。ゲームやテレビ番組の名前にもある

17. 太平洋戦争で海軍が開発した人間魚雷

18. インド料理によく用いる澄ましバター

第15問 解答欄

1		2	■	3	4	
	■	5				■
6	7		■	8		9
10			11		■	
	■	12		■	13	
14	15	■	16			
17				■	18	

解答＝130ページ

解答日　　月　　日	解答日　　月　　日
時　間　　　　分	時　間　　　　分

解答日　　月　　日	解答日　　月　　日
時　間　　　　分	時　間　　　　分

化学的には高級脂肪酸の グリセリン・エステルのこと？

タテのカギ

1. 英語the Statue of Liberty。1886年に完成
2. 源平合戦で那須与一が扇の的を射落とした逸話で知られる戦場
3. ○○性物質とはプラスチックなどのこと
4. 国際単位系で照度を表す単位
5. 坪内逍遥が明治18〜19年に発表した文学論『小説○○○○』
8. 日本にキリスト教を伝えたF・ザビエルが所属した修道会
10. 島崎藤村の詩文集『落梅集』所収の詩「○○○なる古城のほとり」
13. ギリシャ神話の神でゼウスとレトの子。太陽と同一視される
16. 大酒を飲むこと。○○○○なお辞せず
17. 『君が代』にも用いられている日本の陽音階の一つ。○○音階
20. 伊勢・熊野の海上豪族として織田信長・豊臣秀吉にも仕えた○○水軍

ヨコのカギ

1. フランスのド・ゴール大統領の命を狙う暗殺者を描く、映画化もされたF・フォーサイスのスリラー小説『○○○○○の日』
6. 化学的には高級脂肪酸のグリセリン・エステルのこと
7. 人をいたわしく思う心。○○○○の情
9. 廃仏派の物部氏を討った蘇我氏の中心人物で蝦夷の父
11. 1869年に開通した○○○運河
12. 『ユートピア』を著した英国の政治家・思想家、トマス・○○
14. 607年に小野妹子が赴いた国
15. 戦前のドイツ映画の巨匠、F・ラング監督が100年後の世界を描いたSF大作
18. 中国・宋代の都市に発達した歓楽街
19. 分国法でも知られる南近江の守護大名、○○○○氏
21. 『ディスコボロス(円盤を投げる人)』で有名な古代ギリシャの彫刻家
22. 麦焼酎発祥の地といわれる長崎県の島

第16問 解答欄

1	2		3	4	■	5
6		■	7		8	
9		10	■	11		
	■	12	13	■	14	
15	16			17		■
18		■	19			20
21				■	22	

解答=130ページ

解答日　　月　　日	解答日　　月　　日
時　間　　　　分	時　間　　　　分
解答日　　月　　日	解答日　　月　　日
時　間　　　　分	時　間　　　　分

中国思想の陰陽、英語ではイン・アンド・○○?

タテのカギ

1. ライプニッツの形而上学説において、万物を構成する不可分で不滅の実体。単子と訳される
2. 多くのピースを組み合わせて絵を復元する、○○○○パズル
3. 沖縄の八重山地方で、労働の際に歌われる歌謡
4. 『論語』の一節「七十にして心の欲する所に従って、○○を踰えず」
6. 釈迦のいとこといわれ、釈迦が悟りを開いたのちに弟子となり、後に離反して仏教教団に対抗したとされる人物
8. 現在の英王室は○○○○○家
9. 米の大学フットボールで最優秀選手に贈られる、○○○○○賞
12. 英語の「急速眼球運動」の頭文字をとった言葉。○○睡眠
13. 短期記憶や時間空間の学習能力などに関係するとされる脳の器官
16. 中国思想の陰陽、英語ではイン・アンド・○○

ヨコのカギ

1. 仏の智慧を象徴する、○○○○菩薩
4. 大岡昇平が1951年に『展望』に発表した、戦後文学の代表作
5. 密教の五大明王で南方を守り、さまざまな障碍を取り除くといわれる○○○○明王
7. ダイヤモンドと黒鉛のように、同一元素からなるが原子の配列や結合が異なり、性質も違う単体のこと
10. 植物性油脂に多く含まれる、ビタミン○○
11. 無駄に年をとることを謙遜して言う語「○○○を重ねる」
13. ことわざ「○○を蓋いて事定まる」
14. 米第2代大統領で息子も第6代大統領となった、ジョン・○○○○
15. 旧約聖書中で最大の預言書とされる『○○○書』
17. 2018年に生誕100年を迎えた、ミュージカル『ウエスト・サイド物語』などで知られる作曲家、レナード・○○○○○○

第17問 解答欄

1		2	3	■	4	
	■	5		6		■
7	8				■	9
■	10		■	11	12	
13		■	14			
15		16	■		■	
17						

解答=130ページ

解答日　　　月　　　日		解答日　　　月　　　日
時　間　　　　　　分		時　間　　　　　　分
解答日　　　月　　　日		解答日　　　月　　　日
時　間　　　　　　分		時　間　　　　　　分

勇壮な気性を表す
四字熟語、抜山○○○○？

タテのカギ

1. ツルゲーネフによる人間の二つの類型の一つ。思索的・懐疑的で決断力・実行力に乏しい。対極はドンキホーテ型
2. オーストラリアに棲むイヌ科の野生動物
3. 源頼朝の御家人を家祖とし、近世には伊達氏の家臣となった、○○氏
4. ダブル・バインド(二重拘束)理論を構想した米の人類学者
5. 古代メソポタミア文明で使用されていた○○○形文字
9. 旧約聖書中の歴史書。ダビデ王の晩年から北王国(イスラエル)、南王国(ユダ)両国の分裂とその歴史までを記す
11. フライング・ダッチマン、エル・サルバドールなどの異名をとったオランダのサッカー選手、ヨハン・○○○○
13. 日常言語学派の代表とされる英の哲学者。主著『心の概念』
15. ニュージーランドの先住民族、マオリ族の民族舞踊「ハカ」の英語名、○○○クライ
17. 狩場などで鳥獣を駆り立てる役割のこと

ヨコのカギ

1. 王子カール・ハインリヒの学生生活と恋愛を感傷的に描いたドイツの戯曲『アルト・○○○○○○』
6. 太公望が周の文王と出会ったときに釣りをしていたといわれる川
7. 「えたいの知れない不吉な塊が私の心を始終おさえつけていた。」という書き出しで始まる小説
8. ローマでも有数の観光名所、○○○の泉
10. 仏教では、地獄で亡者を呵責する鬼のこと
12. 武田信玄の異名の一つ、甲斐の○○
14. ミモザサラダでミモザの花に見立てられるのは卵のこの部分
16. 勇壮な気性を表す四字熟語、抜山○○○○
18. ことわざ「水清ければ○○棲まず」
19. 『アンドレイ・ルブリョフ』『鏡』などで、旧ソ連を代表する映画監督

第18問 解答欄

1		2	3	4		5
	■	6			■	
7			■	8	9	
	■	10	11			■
12	13	■	14			15
16		17		■	18	
19						

解答=131ページ

解答日　　月　　日	解答日　　月　　日
時　間　　　　　分	時　間　　　　　分
解答日　　月　　日	解答日　　月　　日
時　間　　　　　分	時　間　　　　　分

『星の王子さま』にも出てくる パンヤ科の巨木?

タテのカギ

1. 数奇な生涯でも知られる、メキシコの女性画家。民族的美術とシュールレアリスムに触発された強烈な色彩で有名
2. 戦前に軍港、海軍工廠(こうしょう)があった広島県の市
3. 近代保守主義の代表的理論家である、18世紀英国の政治家で政治哲学者、エドマンド・〇〇〇
4. アガサ・クリスティが生んだ名探偵、エルキュール・ポアロが自らの賢さを自認するときの決まり文句「〇〇〇〇の脳細胞」
5. カンボジアの首都
8. 釈迦が悟りを開いてのち最初に説法した場所
10. 老子が聖人の理想的な政治のあり方を説いた成句「〇〇にして化す」
13. 賤ケ岳の戦で羽柴(豊臣)秀吉に敗れた、〇〇〇勝家
14. イスラエル独特の集団農業共同体。ヘブライ語で「集団」の意

ヨコのカギ

1. 第二次大戦中、フィリピンで結成された抗日ゲリラ組織。抗日人民軍を意味するタガログ語の略称
6. 初期のデジタル計算機である〇〇〇式計算機
7. クロフツによる倒叙推理小説の名作、『〇〇〇〇〇発12時30分』
9. ロックフィル、アーチ、アース、重力などの種類がある構造物
11. ことわざ「白を〇〇と言う」
12. なますとあぶり肉を合わせた熟語。人口に〇〇〇〇する
14. 展性・延性に優れることでも知られる、原子番号79の金属元素
15. 『星の王子さま』にも出てくる、パンヤ科の巨木
16. 『シラノ・ド・ベルジュラック』で知られるフランスの劇作家
17. 1984年にノーベル平和賞を受賞した、南アフリカ共和国の反アパルトヘイト人権活動家、宗教者

第19問 解答欄

1	2	3		4		5
6			■		■	
	■	7	8			
9	10	■	11		■	
12		13		■	14	
	■	15				■
16				■	17	

解答=131ページ

解答日　　月　　日	解答日　　月　　日
時　間　　　　分	時　間　　　　分
解答日　　月　　日	解答日　　月　　日
時　間　　　　分	時　間　　　　分

1918年に童話・童謡雑誌 『赤い鳥』を創刊した作家?

タテのカギ

1. 素数の判定法や地球の周の算出法で知られる、古代ギリシャの学者
2. 仏教に由来する四字熟語、〇〇〇応報
3. へき地の医師不足解消を主目的に設立された、〇〇医科大学
4. 草創期のハリウッドでデビュー、戦後も『戦場にかける橋』に出演するなど、日本人初の国際的俳優となった〇〇〇〇雪洲
5. 1903年開始の国際的な自転車ロードレース、〇〇〇・ド・フランス
6. 文字が似ていることから文字の誤りを指す四字熟語、〇〇〇魯魚(ぎょ)
10. ジョルジュ・シムノンが生んだ名探偵、〇〇〇警視
11. 伊藤一刀斎、佐々木小次郎の師とされる剣客、〇〇〇〇自斎
13. ギリシャ語で「主よ」を意味するミサ中の祈り。ミサ曲のなかでも歌われる
14. 着たきり雀(舌切り雀)など、よく知られた表現の一部を変えて違った意味にする言葉遊び
16. ドストエフスキーの代表作『〇〇と罰』

ヨコのカギ

1. ある漢字一字ですべての文字に共通する運筆法が学べることを意味する、その漢字を用いた四字熟語
7. ロケットなどの発射装置
8. 1982年より世界演劇祭が開かれる、現在は富山県南砺市に属する地域
9. メリメの小説を原作とした、スペインを舞台とするビゼーの歌劇
11. ことわざ「虎は死して〇〇を留め、人は死して名を残す」
12. 三重県の郷土料理として知られる、〇〇〇寿司
13. 俳諧で「かな」「や」「らん」など、一句として意味を完結させるために、修辞的に言い切る形をとる語
15. 布の表に縫い目が目立たないように縫い留める、〇〇〇縫い
17. 1918年に童話・童謡雑誌『赤い鳥』を創刊した作家

第20問 解答欄

1	2	3	4	5		6
7					■	
8		■	9		10	
	■	11		■		■
12			■	13		14
	■	15	16		■	
17						

解答＝131ページ

解答日　　月　　日　　　　解答日　　月　　日

時　間　　　　分　　　　時　間　　　　分

解答日　　月　　日　　　　解答日　　月　　日

時　間　　　　分　　　　時　間　　　　分

ドイツのファーレンハイトが定めた温度の単位?

タテのカギ

1. JR最南端の駅、西大山駅は指宿○○○○○線の駅
2. 弥生時代の倉庫などに見られる、○○○○式建物
3. 中生代・○○○紀末には恐竜やアンモナイトなどが絶滅
4. 大陸横断鉄道を建設した実業家・政治家で、1891年に米西部の名門大学を開校した人物
6. 特別天然記念物であるウシ科の動物、ニホン○○○○
8. 『梨の形をした三つの小品』などで異彩を放ったフランスの作曲家、エリック・○○○
12. 本名はアンドレ・フリードマン。戦争報道写真の第一人者として知られる、ロバート・○○○
14. 売買をして得られる差額の利益
16. 所得や資産の分配の不平等度を測る指標、○○係数

ヨコのカギ

1. 英連邦とEUに属する、地中海に浮かぶ共和国
3. 羊の内臓と牛脂、オートミールなどを羊の胃袋に詰めてゆでた、スコットランドの伝統料理
5. 『奥の細道』の冒頭「月日は百代の○○○にして…」
7. 建国と発展に寄与した四人の大統領の顔が刻まれた、米中北部の山
9. ドイツのファーレンハイトが定めた温度の単位
10. 米の数学者クヌースが開発した電子組版用ソフトウエア。数式表現に強く、コンピューターを使って商業印刷物に近い美しい文書を出力する
11. 画家の藤田嗣治や写真家のマン・レイらのモデルとして知られる、アリス・プランの愛称、モンパルナスの○○
13. ユダヤ教の三大祝祭の一つで、秋に行われる○○○○の祭り
15. 十返舎一九『東海道中膝栗毛』中の名コンビ、○○喜多
17. 梵我一如（ぼんがいちにょ）の思想を説き、インド哲学の源流となった、奥義書とも訳される宗教文献

第21問 解答欄

1		2	■	3		4
	■	5	6		■	
7					8	
	■	9		■	10	
11	12	■	13	14		
■	15	16		■		■
17						

解答=132ページ

解答日　　　月　　　日	解答日　　　月　　　日
時　間　　　　　　分	時　間　　　　　　分
解答日　　　月　　　日	解答日　　　月　　　日
時　間　　　　　　分	時　間　　　　　　分

「善知鳥」と書く、日本では北海道を中心に繁殖する鳥?

タテのカギ

1. 日本文化を分析した『「いき」の構造』や、『偶然性の問題』などで知られる哲学者
2. 江戸時代から伝わる洒落言葉の定番「恐れ〇〇〇の鬼子母神」
3. 相手に気に入られようとこびへつらうという意味の四字熟語
4. 孔子の言葉「〇〇〇に道を聞かば夕べに死すとも可なり」
5. ナム・ジュン・パイク(白南準)が先駆者とされる、〇〇〇・アート
9. G・オーウェルがスペイン内戦を記したルポ『〇〇〇〇〇讃歌』
11. 元素記号Pb。展性に非常に富む金属
13. 韓国の通貨単位

ヨコのカギ

1. 性の多様性に関する略語LGBTQのQの略のひとつとされる、「不思議な」「風変わりな」「奇妙な」などを表す英語
4. 1903年に伊藤左千夫らにより発刊、1908年に廃刊した短歌雑誌
6. 日本では湯島聖堂が有名な、中国・朝鮮建築の降棟に立てた、竜の子を模した瓦製の怪獣
7. 19世紀後半〜20世紀前半のイタリアで、ガリバルディが率いたのは赤〇〇〇隊、ファシスト党の武装行動隊の別名は黒〇〇〇隊
8. カオション、カオシュンとも呼ばれる、台湾南部の港湾・工業都市
10. ローメンやざざむし、はちのこなどの珍味で知られる長野県の市
12. 最後は白煙とともに老翁になったという、仙境滞留説話の主人公
14. さつまいもの売り文句として知られる「九里(栗)〇〇うまい十三里」
15. カイツブリの古名。漢字で「鳰」
16. 「善知鳥」と書く、日本では北海道を中心に繁殖する鳥
17. 警察予備隊の後身で自衛隊の前身、〇〇〇隊

第22問 解答欄

1	2	3	■	4		5
6					■	
7			■	8	9	
	■	10	11	■		■
12						13
	■	14		■	15	
16			■	17		

解答=132ページ

解答日　　月　　日　　　解答日　　月　　日
時　間　　　　分　　　時　間　　　　分

解答日　　月　　日　　　解答日　　月　　日
時　間　　　　分　　　時　間　　　　分

『ガリバー旅行記』で知られる英国の作家?

タテのカギ

1. 個人誌『ファッケル(炬火)』で社会批判的な評論を展開、戯曲『人類最後の日々』などで知られるオーストリアの批評家、劇作家
2. ドイツ音楽の三大Bの一人
3. ことわざ「掃きだめに○○」
4. 重大な危機、困難なところを乗り越えること
5. 大日本帝国海軍が建造した大和型戦艦の2番艦の艦名
8. フランス語で「愚か者はそれを残す」という意味がある鶏肉の希少部位、○○レス
10. ヒンドゥー教で世界の創造神。漢訳は「梵天」
12. カボチャの別称
14. 氷やパスタなどを挟む道具
16. 尊皇攘夷運動に大きな影響を与えた、○○学

ヨコのカギ

1. 『易経』を出典とする、人知を開発し、事業を成し遂げさせることを意味する四字熟語
6. 音楽の速度標語で「きわめてゆっくりと、かつ表情豊かに」の意味
7. 税関吏出身で素朴派の代表的画家、アンリ・○○○
9. 宮崎県都井岬から鹿児島県火崎に至る、○○○湾
11. 『接吻』などで知られる、19世紀末から20世紀初めのウィーンを代表する画家
13. 『ガリバー旅行記』で知られる英国の作家
15. 三島由紀夫が発表した最後の長編小説『豊饒の○○』
17. 『魔の山』などで知られるドイツの作家、トーマス・○○
18. スタニスラフスキー・システムに基づき、内面心理を重視した俳優訓練法「メソッド」を用いて多くの名優を育てた米国の演出家

第23問 解答欄

1		2	3	4		5
	■	6			■	
7	8		■	9	10	
11			12	■		■
	■	13				14
15	16	■		■	17	
18						

解答=132ページ

解答日　　月　　日	解答日　　月　　日
時　間　　　　分	時　間　　　　分
解答日　　月　　日	解答日　　月　　日
時　間　　　　分	時　間　　　　分

カワセミの別名でもある緑色の美しい宝石?

タテのカギ

1. 英文で『大乗仏教概論』を出版するなど海外でも高名な仏教哲学者
2. 伊川先生と称される北宋の儒学者
3. 数の単位で糸の下
4. 哲学書として異例のベストセラーとなったマルクス・ガブリエルの著書『なぜ○○○は存在しないのか』
5. 山頂にある人間の足跡の形をしたくぼみが、仏教、ヒンドゥー教、イスラム教の聖地となっている、スリランカ南部の山
7. カワセミの別名でもある、緑色の美しい宝石
10. シベリア・アラスカ・カナダの針葉樹林を指すロシア語
12. 『源氏物語』で光源氏の侍臣。転じて、たいこ持ちの異称
14. 『中国の赤い星』を著した米のジャーナリスト、エドガー・○○○
16. フィギュアスケートでキャメル、シット、アップライトといえば
18. 壇ノ浦の合戦の後、平家盛が漂着した伝説がある五島列島の○○島

ヨコのカギ

1. 豊臣秀吉と淀君の子で秀頼の兄、鶴松の幼名、○○丸
3. 第二次世界大戦と朝鮮戦争で使用された米海軍の戦闘機。名称は大航海時代の海賊船に由来
6. 清少納言『枕草子』、兼好法師『徒然草』の文学ジャンルはこれ
8. 曹操の侍医となったが後に殺された、後漢末・魏初の伝説の名医
9. 『アルジャーノンに花束を』の作者、ダニエル・○○○
10. 和名をタチジャコウソウという、香味料としても知られるハーブ
11. 昭和30年代の世相が感じられる「今日も元気だたばこがうまい!」という宣伝文句で知られるたばこの銘柄
13. 米のインテリアデザイナー、イームズといえばこの家具で有名
15. スペインの政治家・軍人でフィリピン初代総督
17. 「石花海」と書く、駿河湾南西部にある好漁場の浅堆
19. リンの元素記号
20. チェスで指し手が不利な手しか打てない局面のこと

第24問 解答欄

1	2	■	3		4	5
6		7		■	8	
9			■	10		
	■	11	12		■	
13	14	■	15		16	
17		18		■	19	
20						

解答=133ページ

解答日　　月　　日	解答日　　月　　日
時　間　　　　分	時　間　　　　分
解答日　　月　　日	解答日　　月　　日
時　間　　　　分	時　間　　　　分

「あみがしら」ともいう
「罪」「羅」の上部にある部首?

タテのカギ

1. 利益社会と訳される、ドイツの社会学者、テンニースの語
2. 正体不明の珍魚にある男がつけた、奇天烈な名前がタイトルの落語
3. バッハの2声および3声のクラヴィーア曲が有名な、記譜法や作曲などに創意をこらした音楽作品のこと
4. 公家の正装を表す四字熟語
7. モネが1872年に発表した記念碑的な絵画『〇〇〇〇〇・日の出』
10. 不遇の画家だったゴッホを経済的に援助した、画商の弟の愛称
13. 「あみがしら」ともいう、「罪」「羅」の上部にある部首
15. 50年近い歴史を持つ、スペイン語・イタリア語で数字の「1」に由来するカードゲーム

ヨコのカギ

1. 「複式簿記は人間の精神が生んだ最高の発明の一つ」という表現でも知られる、ワイマール公国の政治家でもあった作家・詩人
3. 十二支で表した方位で北西の方角
5. 湖岸にジュネーブ、ローザンヌなどの都市があるスイスの〇〇〇湖
6. 1930年に米国人として初めてノーベル文学賞を受賞、社会風刺的な作風で知られる作家、シンクレア・〇〇〇
8. 1978年のノーベル平和賞をエジプトのサダト大統領とともに受賞した、イスラエルの首相
9. 英国の経済学者A・マーシャルが体系化したとされる〇〇〇〇〇学派
11. 漢字で「香具師」などと書く職業
12. 警察の隠語で「さんずい」といえば〇〇〇〇事件のこと
14. 旧富士銀行の融資企業を中心とした、〇〇〇グループ
16. 東京・多摩地域にある軍用飛行場、〇〇〇飛行場
17. 古代中国・殷の初代王が沐浴の盤に刻んだ自戒の言葉。「苟に日に新たにせば、日々に新たに、又日に新たなり」

第25問 解答欄

1		2	■	3		4
	■	5			■	
6	7		■	8		
9			10		■	
11		■	12		13	
14		15	■	16		
17						

解答=133ページ

解答日　　月　　日	解答日　　月　　日
時　間　　　　分	時　間　　　　分

解答日　　月　　日	解答日　　月　　日
時　間　　　　分	時　間　　　　分

天台宗寺門派の総本山、園城寺の俗称、○○寺?

タテのカギ

1. シェイクスピアの史劇『ヘンリー四世』などに出てくる、大酒飲みで大ぼら吹きの太った陽気な老騎士。軽妙な機知の持ち主でもある

2. 西郷隆盛と勝海舟の会談で実現した、江戸○○○開城

3. 天台宗寺門派の総本山、園城寺の俗称、○○寺

4. 漢字で大角豆などと書く、若いさやや熟した種子を食べ、また茎や葉を飼料ともする植物

5. 「咳をしても一人」などの句で知られる、自由律俳句の代表的俳人

8. センリョウ科の多年草、一人○○○、二人○○○

9. 『史記』に由来する言葉「○○○天を衝く」

13. 『論語』に由来する、60歳の異称

15. カミュ『異邦人』の冒頭の一文「きょう、○○○が死んだ。」

ヨコのカギ

1. 「巌頭之感」と題した遺書を遺し、1903年に日光華厳の滝から投身自殺、当時の社会に強い衝撃を与えた青年

6. 琵琶湖の固有種であるハゼ科の魚。あめだき、つくだ煮などにする

7. 1637年初演のコルネイユ作の悲喜劇。フランス古典劇の名作の一つ

10. 「○○を飛ばす」とは、自分の主張や考えを広く人々に知らせて同意を求める、というのが本来の意

11. ブリキはこれを鍍金した薄い鉄板

12. 米の文化人類学者、ルース・ベネディクトが『菊と刀』で日本人特有の文化体系と考えて用いた語「○○の文化」

14. 本能寺の変のとき羽柴秀吉が水攻めにした、岡山市にあった城

16. 1931年に米の数学者・論理学者のゲーデルが証明し、数学基礎論に大きな影響を与えた○○○○○○○定理

第26問 解答欄

1		2		3	4	5
	■		■	6		
7	8		9	■	10	
11		■	12	13	■	
14		15			■	
	■		■		■	
16						

解答=133ページ

解答日　　月　　日	解答日　　月　　日
時　間　　　　分	時　間　　　　分
解答日　　月　　日	解答日　　月　　日
時　間　　　　分	時　間　　　　分

米大リーグのデータで ABと略される数値?

タテのカギ

1. 1960年に世界最初の女性首相となった、スリランカの政治家
2. その地の柳が美人の眉にもたとえられる、漢の〇〇〇宮
3. 1956年の文化勲章受章者で、童謡『赤とんぼ』などの作曲家
4. 甲子に始まり癸亥で終わる
5. 映画『ローマの休日』で、王女アンがジェラートを食べる場所
8. 高知県・土佐湾のほぼ中央にある支湾。県下唯一の大型船避泊地で、変化に富むリアス式海岸を含む県立自然公園の名でもある
10. ことわざ「〇〇に交われば赤くなる」
12. ウニや昆布でも有名な、北海道北部の火山島

ヨコのカギ

1. オーストリアの作家ザルテンが著した児童文学作品で、後にディズニーが映画化
3. 徳川家康に用いられたオランダ人船員・貿易家の名にちなむ、東京都中央区の地名
6. 「しーん」「zzz」など擬音語・擬態語の意味のフランス語
7. 米大リーグのデータでABと略される数値
9. チベットの古都でチベット仏教の聖地
10. 北方領土で、歯舞群島の北東に位置する〇〇〇〇島
11. 日光東照宮の薬師堂の名物である絵
13. 巻積雲の俗称の一つ、〇〇〇雲
14. 牧草・トウモロコシなどを発酵させて、貯蔵する倉庫
15. 英国の歴史家・思想家で政治家、アクトンの言葉「〇〇〇〇〇は腐敗する、絶対的〇〇〇〇〇は絶対に腐敗する」

第27問 解答欄

1		2	■	3	4	5
	■	6				
7	8		■		■	
9		■	10			
11		12			■	
13		■		14		
15					■	

解答=134ページ

解答日　　月　　日	解答日　　月　　日
時　間　　　　分	時　間　　　　分

解答日　　月　　日	解答日　　月　　日
時　間　　　　分	時　間　　　　分

中国の伝説に由来する言葉、太陽の金烏に対して月は?

タテのカギ

1. 春の佐保姫に対し、秋をつかさどる女神、○○○姫

2. 大の大人なら慎むべき行動、○○○○妄動

3. 中国の伝説に由来する言葉、太陽の金烏に対して月をこう呼ぶ

4. ヘーゲルが『法の哲学』で国家からも家族からも明確に区別して定義した、自由な市場経済活動の営まれる分業化された社会

6. シャネルのライバルとして知られるファッションデザイナー、スキャパレリを象徴する色、○○○○○・ピンク

8. 第一次大戦後の中国に関する日米共同宣言、○○○・ランシング協定

10. 正宗白鳥が1908年に発表した短編小説

11. 中国の明代以降、ラマ新教の僧が着る衣

12. 英国の日刊タブロイド紙、ザ・○○

13. 初代皇帝は李淵、第2代皇帝は李世民である中国の王朝

ヨコのカギ

1. 行進曲『旧友』で知られるドイツの作曲家

3. 欄干の柱頭などにつける宝珠の飾り

5. 儒学の経典である経書に対し、経書に付託して禍福や吉凶、予言などを記した書物。しばしば禁書となった

7. 通常perspectiveと英訳される、将棋や囲碁でよく使われる、的確な形勢判断を行う能力のこと

9. ウイスキーなどをストレートで飲むための、○○○○・グラス

10. 日本人の精神構造を解き明かしたベストセラー『「甘え」の構造』で知られる精神科医、○○健郎

11. ことわざ「○○の意見と冷や酒は後で効く」

12. 「まつすぐな道でさみしい」「分け入つても分け入つても青い山」などの句で知られる自由律俳句の代表、種田○○○○

14. キューバで暮らした家はフィンカ・ビヒアと呼ばれる、米国の文豪

第28問 解答欄

1		2	■	3		4
	■	5	6		■	
7	8					
■	9				■	
10		■		■	11	
	■	12		13		
14						

解答=134ページ

解答日	月	日		解答日	月	日
時　間		分		時　間		分

解答日	月	日		解答日	月	日
時　間		分		時　間		分

『ピーターと狼』などで知られるソ連の作曲家?

タテのカギ

1. ビロード革命の立役者、ハヴェル大統領の名を冠した〇〇〇空港
2. 茶の湯で抹茶の正式なたて方、〇〇〇〇手前
3. アフリカのルワンダ、ブルンジに居住する民族中で最大、〇〇族
4. ギリシャ神話で、ゼウスによって絶えず回転する火の車輪に縛り付けられ、永遠に続く責め苦に遭う人物
5. 『往生要集』を著した学僧・源信の通称、〇〇〇僧都
6. すり減らず長く価値を保つ法典、〇〇の大典
9. ファラデーが「移動する」の意のギリシャ語にちなんで命名したもの
12. フォービスムの代表的画家マティスは〇〇〇〇の魔術師ともいわれる
13. 日本未公開の『テンダー・マーシー』でアカデミー主演男優賞を受賞、『ゴッドファーザー』などに出演したロバート・〇〇〇〇
14. デーヴィー・クロケットが戦死した〇〇〇砦
16. ベネディクトゥスの戒律を厳守するカトリック修道会、〇〇〇会
17. インドネシア・マレーシアの串焼き料理

ヨコのカギ

1. 『ピーターと狼』などで知られるソ連の作曲家
7. 宮島の名でも知られる日本三景の一つ
8. 1804年に独立した、世界最初の黒人共和国
10. 紀元前221年に初めて中国を統一した王朝
11. 千島海流ともいう寒流
14. 英スチュアート王朝最後の君主、〇〇女王
15. 1920年施行、33年廃止、悪名高き米国の〇〇〇〇法
17. 民謡『会津磐梯山』の一節「〇〇に黄金がなりさがる」
18. 戊辰戦争の始まりとなった、〇〇・伏見の戦い
19. 事後確率の例題として知られる、米のテレビショー番組内で行われたゲームに関する「〇〇〇〇・〇〇〇問題」

第29問 解答欄

1		2	3	4	5	6
	■	7				
8	9		■	10		■
■	11		12		■	13
14		■	15		16	
	■	17		■	18	
19						

解答=134ページ

解答日　　月　　日	解答日　　月　　日
時　間　　　　分	時　間　　　　分

解答日　　月　　日	解答日　　月　　日
時　間　　　　分	時　間　　　　分

角度の単位、ラジアンを表す日本語?

タテのカギ

1. 三島由紀夫の劇作家としての最高傑作といわれる、1965年の作品『〇〇〇〇〇〇夫人』
2. 仏教に取り入れられて帝釈天となった、インド神話の軍神
3. しょうゆのもろみ、しょうゆかすのこと
4. ギリシャ神話で、ヘラクレスに退治された九つの頭を持つ海蛇
5. 世界革命論を唱えてスターリンと対立、国外追放され、後に暗殺されたロシアの革命家
6. 国際司法裁判所がある、オランダの事実上の首都
10. 一国が共産化すると近隣諸国も次々に共産化するという、冷戦下に米国が唱えた〇〇〇理論
12. 白河法皇が心にかなわぬと嘆いたというものの一つ、〇〇〇〇の水
14. 将棋の歩にあたるチェスの駒
15. 古代ギリシャの哲学者、ヘラクレイトスの言葉「万物は〇〇〇する」

ヨコのカギ

1. 日本人にもなじみが深いオー・ヘンリーの短編小説
7. 日本が採用している比例代表制の議席配分方式、〇〇〇式
8. ゴルフで打球が落下する前に利き手とは逆側に少し曲がる弾道
9. 角度の単位、ラジアンを表す日本語
10. 野球で左打者が一二塁方向に転がす、〇〇〇〇・バント
11. 日本におけるカトリック布教の中心地の一つで、原爆投下で破壊された天主堂でも知られる長崎市の地区
13. 1931年にディラックが理論的にその存在を予想したが現在まで未発見の、磁極のN極かS極の一方だけを持つとされる仮想的な粒子
16. 『聖教要録』などを著した江戸前期の儒学者で兵学者、〇〇〇素行
17. 正式名称は「絶滅のおそれのある野生動植物の種の国際取引に関する条約」。1973年に採択された〇〇〇〇〇条約

第30問 解答欄

1	2	3		4	5	6
7			■	8		
9		■	10			
11		12		■		■
	■	13		14		15
16			■		■	
	■	17				

解答=134ページ

解答日　　月　　日	解答日　　月　　日
時　間　　　　分	時　間　　　　分
解答日　　月　　日	解答日　　月　　日
時　間　　　　分	時　間　　　　分

東京大学の赤門は元○○藩上屋敷の御守殿門?

タテのカギ

1. 第二次世界大戦後の世界経済を支えた体制に名を残す米北東部の町
2. かつて「ハム・セム語族」といった「○○○・アジア語族」
3. 『蛇含草』を大幅に改変した落語の演目『○○清』。ともに人間を溶かす草にまつわる、滑稽かつホラーチックな噺
4. 第二次世界大戦時にはマンハッタン計画に参加し原子炉の建設に従事、1963年のノーベル物理学賞を受賞したハンガリー系米国人学者
5. 香港や台湾、シンガポールでも採用されている通貨単位
8. 『源氏物語』などの現代語訳でも知られる作家、○○○文子
10. 眼鏡がトレードマーク。無声映画時代の喜劇俳優、ハロルド・○○○
13. J・ケージが発想した独特な作曲法、○○○○性の音楽
14. 八郎潟の干拓地に1964年に建設された、秋田県の村
16. 代表作は『黄色い部屋の秘密』。推理作家ガストン・○○○
18. 代表作は『皇帝の嗅ぎ煙草入れ』。推理作家ディクスン・○○

ヨコのカギ

1. 武蔵・相模の頭文字に由来するという、白洲次郎・正子夫妻の旧邸宅
6. 『戦争と平和』などを著したロシアの文豪、○○・トルストイ
7. 初心者向けのピアノ教則本に名を残すドイツの作曲家
9. 飯が進むため「飯やる」から言伝汁の異称がある○○○汁
11. フランスの数学者・ガロアが初めて考案した、○○の概念
12. 上智大学に隣接する、聖○○○○○教会
15. パキスタンの国語でインドの公用語の一つ、○○○○○語
17. 昔は「首長鳥」と呼ばれていた鳥について語る、落語の演目
18. 東京大学の赤門は元○○藩上屋敷の御守殿門
19. イスラエル・フィルハーモニー管弦楽団の終身音楽監督である、インド出身の世界的指揮者

第31問 解答欄

1	2		3	4	■	5
6		■	7		8	
9		10	■	11		■
	■	12	13			14
15	16			■		
17		■		■	18	
19						

解答＝135ページ

解答日	月	日	解答日	月	日
時　間		分	時　間		分
解答日	月	日	解答日	月	日
時　間		分	時　間		分

タヒチ島に伝わる
情熱的な踊り?

タテのカギ

1. 英首相のチャーチル等、著名人が愛読したことでも知られる英国の歴史家・ギボンの大著『○○○○○○衰亡史』

2. 円周率のπや平方根のルート2など分数で表せない実数

3. タヒチ島に伝わる情熱的な踊り

4. 世界三大がっかりとされる観光名所の一つ、人魚姫の像がある都市

7. 1957年度のノーベル物理学賞を「パリティの非保存の研究」により、楊振寧と共同受賞した、中国出身の理論物理学者

9. 中央アジアのイスラム教の聖地でシルクロードの要衝、古い町並みが世界文化遺産となっているウズベキスタン中部の都市

11. 冬に湖面が結氷する御神渡りでも知られる、長野県の○○湖

15. 茶会の心得に由来する言葉、一期○○○

17. 九州ではアラとも呼ばれる、ハタ科の高級魚

ヨコのカギ

1. 関東地方の台地や丘陵を覆っている風成火山灰土の一種

3. 北岸に無錫がある、風光明媚で知られる中国江蘇省南部の湖

5. 音楽の三要素はメロディ、ハーモニーとこれ

6. 1961年に61本塁打を放ち、ベーブ・ルースの記録を塗り替えたニューヨーク・ヤンキースの打者、ロジャー・○○○

8. 北海道の北西方、利尻島の北にある○○○島

10. 半人半牛の怪物ミノタウロスを退治した、ギリシャ神話の英雄

12. ことわざ「必要は発明の○○」

13. 徳川幕府大老を5人出した譜代大名、近江彦根藩主の○○氏

14. 映画『ローマの休日』『ベン・ハー』などを監督した、ウィリアム・○○○○

16. コロンビアの作家、ガルシア・マルケスの代表作『百年の○○○』

18. 太平洋のミクロネシア東部、マーシャル諸島にあり、米軍の弾道ミサイルの試験場がある環礁。日本語表記は数種類ある

第32問 解答欄

1		2	■	3		4
	■	5			■	
6	7		■	8	9	
10			11	■	12	
13		■	14	15		
16		17	■		■	
18						

解答=135ページ

解答日　　月　　日	解答日　　月　　日
時　間　　　分	時　間　　　分
解答日　　月　　日	解答日　　月　　日
時　間　　　分	時　間　　　分

日本で御来迎と呼ばれる現象、西洋では○○○○○現象？

タテのカギ

1. ジュディ・ガーランド、バーブラ・ストライサンド、レディ・ガガ主演で3度リメークされた1937年の映画『○○○誕生』
2. イタリア南部、サレルノ湾北岸にある観光地。世界文化遺産でもある
3. 魚肉などを薄く切ったもの
4. 椀(わん)の行商から後に薬、茶、呉服などを手掛けて発展した近江の○○商人
5. 大宝令に制定された、太政官と並立する官庁
8. 帳簿・紙袋・合羽などに用いられた厚くて丈夫な和紙。または戦後の出版物用に出回った粗悪な洋紙のこと
10. 日本で御来迎と呼ばれる現象、西洋では○○○○○現象
13. 江戸時代、旗本・御家人の代わりに蔵米を受け取り、換金した商人
14. 『都市の日本人』『不思議な国日本』『幻滅』などの著書がある英国の知日派社会学者、ロナルド・○○○
15. 1980年代に活躍した米国の画家、○○○・ヘリング

ヨコのカギ

1. イエズス会最大の学者で近世のスコラ学を興し、国際法学の先駆者としても知られるスペインの神学者・法哲学者
4. 僧が食事を禁じられた時(とき)。斎に対する語
6. 『礼記』に由来することわざ「○○琢(みが)かざれば器(うつわ)を成さず」
7. 元素記号Xeの貴ガス元素の一種
9. 卵白を語源とする、生物体に広く分布する単純たんぱく質の総称
11. 茶の湯で湯を沸かすのに用いる炉
12. 『変身』『審判』などで知られる、プラハ生まれのドイツ語作家
14. プロイセンの基礎を築いた、中世ヨーロッパの騎士修道会
16. 適正な通貨供給量を決定するための指標の一つ、マーシャルの○○
17. 米国映画で何らかの理由により監督名をクレジットできない際に用いられていた架空の監督名

第33問 解答欄

1	2		3	■	4	5
6		■	7	8		
9		10			■	
■	11		■	12	13	
14			15			
	■	16		■		■
17						

解答=135ページ

解答日	月	日		解答日	月	日
時　間		分		時　間		分

解答日	月	日		解答日	月	日
時　間		分		時　間		分

酉の市でおなじみの 福徳をかき寄せる縁起物?

タテのカギ

1. 英語でthe philosopher's stone、西洋中世の錬金術師が探し求めたといわれる物質
2. 陰陽変化の理にのっとった、中国武術の三大内家拳の一つ
3. 1976年に廃止された、至急電報の略号
4. アダムとともに土よりつくられた、イブの前のアダムの妻
5. 飽きやすく学問が長続きしないこと。いわば「桐壺源氏」の中国版
7. ポーランド派の旗手といわれる映画監督、アンジェイ・○○○
9. イドとも呼ばれる、無意識の世界にある本能的エネルギーの源泉
12. 孔門十哲の一人で、直情で勇を好んだとされる
15. フランスの精神分析の大家、ジャック・ラカンの著書
17. 当事者から外れること。○○の外に置かれる
19. 毛沢東の毛の英語読み。○○イズム

ヨコのカギ

1. 距離約4.3光年と地球に最も近い恒星、アルファ・○○○○○
6. 平成最初に行われた有馬記念の優勝馬
8. 株式会社における株主権は、○○○権と共益権に大別される
10. 古代から中世の日本にみられた、利子付き消費貸借
11. 南北朝時代の代表的刀工。筑前出身で長門府中に移住し、刀工左文字の子または弟子と伝えられる
13. ウォール・ストリート・ジャーナルの発行元、○○・ジョーンズ
14. ラベルのバレエ曲でも知られる古代ギリシャの恋愛小説『ダフニスと○○○』
16. 蒔絵の地蒔の一種、○○○地
18. 酉の市でおなじみの、福徳をかき寄せる縁起物
20. 19世紀前半、ロゼッタ石により古代エジプトの象形文字の解読に成功した、フランスのエジプト学者

第34問 解答欄

1		2	3	4	■	5
	■	6			7	
8	9		■	10		
11			12	■	13	
	■	14		15	■	
16	17		■	18	19	
20						

解答=136ページ

解答日 月 日	解答日 月 日
時 間 分	時 間 分
解答日 月 日	解答日 月 日
時 間 分	時 間 分

第35問 帝位を争う意のことわざ「中原に○○を逐う」？

タテのカギ

1. 大河ドラマ『いだてん』の主人公、金栗四三がマラソンに出場した、日本が初参加したオリンピック開催地
2. ラジオドラマ『君の名は』を手掛けた劇作家・演出家の○○○一夫
3. 普段を指す「褻」に対し、表向き、おおやけを指す言葉
4. ジャンヌ・ダルクの火刑地としても知られるフランスの都市
5. 1984年にオートボルタから「清廉潔白な人たちの国」という意味の国名に改称した西アフリカの国
8. 他人の母の敬称
11. 焼いたものは中国では「鍋貼」と記されることが多い料理
13. 古典落語の演目の一つ『あくび○○○』
14. 「暖簾に腕押し」と同義のことわざ「○○に釘」
16. 帝位を争う意のことわざ「中原に○○を逐う」

ヨコのカギ

1. 錦絵の創始者とされ、繊細な美人画で知られる江戸中期の浮世絵師
6. 「芸術は見えないものを見えるようにする」という名言をのこした、独特の画風で知られるスイスの画家、パウル・○○○
7. 『風の中の子供』などで知られる児童文学者、○○○譲治
9. 長野県北部にある仁科三湖で最も北に位置する○○○湖
10. 漢字で書くと「苦い土」の意、マグネシウムの通称
11. 今東光の小説、その作品の映画版でも知られる、千利休の娘の名
12. シワがなく純白で、きめの細かい和紙、○○○○紙
14. パリのセーヌ川、シテ島の西端に架かる橋、ポン・○○
15. ギリシャ神話や『オデュッセイア』に出てくる王女。難破したオデュッセウスを助け、父王の宮殿に導いたという
17. 東京・不忍池から湯島へ上る坂で、森鴎外の小説『雁』の舞台

第35問 解答欄

1		2	3	4		5
	■	6			■	
7	8		■	9		
10		■	11		■	
12		13		■	14	
	■	15		16		
17					■	

解答=136ページ

解答日 　月　　日　　　解答日　　月　　日

時　間　　　　分　　　　時　間　　　　分

解答日 　月　　日　　　解答日　　月　　日

時　間　　　　分　　　　時　間　　　　分

ノアの方舟が漂着したという
○○○○山?

タテのカギ

1. 1688〜89年に英国で起こった、流血の惨事を伴わなかった革命
2. 不動産などの売買における通称、○○担保責任
3. 現在は中国・大連市の一部となっている、日露戦争の激戦地
5. ノアの方舟が漂着したという○○○○山
6. フランスの新教徒ユグノーに信仰の自由を認めた、○○○の勅令
8. 「猿に始まり、狐に終わる」の猿にあたる狂言の演目『○○○猿』
11. レッド、キングコブラなどの種類がある熱帯魚。和名はニジメダカ
13. 米マクドネル・ダグラス社製の制空戦闘機、F15の愛称
15. ベトナム戦争中の1968年、米軍が村民を大量虐殺して国際的な非難を浴びた、○○○事件
17. 訳詩『海潮音』で知られる英文学者・詩人の上田○○
18. アール・ヌーヴォーを代表するフランスの工芸家、エミール・○○

ヨコのカギ

1. 「○○○神事」で知られる、北九州市の○○○神社
4. 大部分が熱帯雨林に覆われる、南米北部にある広大な○○○高地
7. 小林秀雄が文壇にデビューした評論『様々なる○○○○』
9. 『リア王』をモチーフにした黒澤明監督最後の時代劇巨編
10. 古代メソポタミアに見られる、階層状の聖塔
12. 印象派の画家で印象派絵画の収集家。モネ、ルノワール、セザンヌらと交際し、経済的に援助したことでも知られる
14. 『科学革命の構造』でパラダイム概念を提唱した米国の科学史家、トーマス・○○○
16. オルコットの小説『若草物語』で、四人姉妹の長女の名
17. 卵やチーズ、牛乳なども採らない、絶対菜食主義者のこと
19. 中国・元朝の初代皇帝フビライの弟・フラグがイラン高原に建国した○○・○○国
20. マロの小説『家なき子』の主人公である孤児の少年

第36問 解答欄

1	2	3	■	4	5	6
7			8	■	9	
	■	10		11		
12	13					■
14			■		■	15
16		■	17		18	
19				■	20	

解答=136ページ

解答日	月	日	解答日	月	日
時　間		分	時　間		分
解答日	月	日	解答日	月	日
時　間		分	時　間		分

英国の最高勲章である ○○○○勲章?

タテのカギ

1. 渡辺崋山の筆による肖像画でも知られる、崋山やシーボルトらの後援者でもある江戸後期の蘭学者
2. 利子や配当金、家賃収入など投資の果実を指す、○○○○ゲイン
3. 虎関師錬、義堂周信らの禅僧に代表される漢詩文、○○○文学
4. 「荒らし→嵐」のように、ある品詞が他の品詞に転じた語
5. 不正蓄財等で刑に服すも後に特赦、第13代韓国大統領ノ・○○
6. 木曽義仲と源義経の「宇治川の戦い」で磨墨と先陣を争った馬
10. ことわざ「転がる○○に苔つかず」
13. 英国の最高勲章である○○○○勲章
14. シャーロック・ホームズは1887年発表の『○○○の研究』で初登場
16. 以心伝心とほぼ同義、つうと言えば○○
17. 扁平な鐘形で内部に舌をつるした鳴りもの
18. 1983年に亡くなった、スペインのシュールレアリスムの画家

ヨコのカギ

1. 仏教で完全な悟りを得ることを意味する四字熟語
7. 拾得とペアで画題にされる、唐代の僧
8. 幸運に巡り合うこと。○○に入る
9. 第3楽章が草稿だけで終わっている、シューベルトの交響曲
11. 旧約聖書のノアの長子の名にちなんだとされる、○○族
12. 『表札など』で知られる詩人、○○○○りん
14. 手鞠歌『あんたがたどこさ』で「あんたがたどこさ」に続く国名
15. トロツキーが唱えてスターリンと対立した、○○○革命論
17. 「○○○薦」は「へだて」または「へ」に、「○○○けめ」は「牟良自が磯」にかかる枕ことば
19. 絵画の技法、明暗法を意味するイタリア語

第37問 解答欄

1	2	3	4		5	6
7				■	8	
9				10	■	
11		■	12		13	
	■	14		■		■
15	16		■	17		18
19						

解答＝137ページ

解答日　　　月　　　日	解答日　　　月　　　日
時　間　　　　　分	時　間　　　　　分
解答日　　　月　　　日	解答日　　　月　　　日
時　間　　　　　分	時　間　　　　　分

企業会計は財務会計と
○○○会計に類別される?

タテのカギ

1. 取り立てて才能はないが美貌の青年、デュロアが女性を使ってのし上がっていく姿を描いた、モーパッサンの小説
2. 西郷隆盛の言葉「○○○のために美田を買わず」
3. 『源氏物語』で光源氏の寵を受けるも、物の怪に襲われ急死する女性
4. 松や杉は○○植物の代表
5. 朝永振一郎が1947年に提唱した量子電磁力学における理論
8. 心理学者ミュラー・リヤーやエビングハウスのものが知られる現象
9. 将棋で歩兵が成ったもの
11. 江戸時代の刑罰で追放の意
12. ギリシャ語のアルファベットの第10字。イオタとラムダの間
13. かつて米国人の典型とされた、白人系米国人の呼び名
16. 北海道と福島県にある、ルーツも共通する同名の市

ヨコのカギ

1. ロスタンの戯曲により伝説化された17世紀フランスの作家・自由思想家、シラノ・ド・○○○○○○○
6. 漢文・唐詩・元曲と並び称される韻文文学
7. サッカーでおなじみのプロミスリング
9. 木曽川の景勝地、寝覚の○○
10. 5～6世紀頃の大和政権の王の称号「大王」の「だいおう」以外の読み
12. 鶏肉の異称
14. 企業会計は財務会計と○○○会計に類別される
15. 「魑魅」の読みの一つで、山林の精気から生ずるという人面鬼身の怪物
17. ベンサムが18世紀末に構想、フーコーが民主国家のたとえに用いた、一望監視システムを持つ監獄のような施設

第38問 解答欄

1		2	3	4		5
	■	6			■	
7	8			■	9	
■		■	10	11		
12		13	■	14		
	■	15	16		■	
17						

解答＝137ページ

解答日　　月　　日	解答日　　月　　日
時　間　　　　　分	時　間　　　　　分

解答日　　月　　日	解答日　　月　　日
時　間　　　　　分	時　間　　　　　分

密教で万物の根源とされる梵語の第一字母?

タテのカギ

1. アンブローズ・ビアス一流の風刺が効いた辞書『〇〇〇の辞典』
2. ジャコウネコの糞から取られる、希少で高価なコーヒー豆
3. 無常な世、現世を指す言葉、仮の〇〇
4. 源義経の家臣、佐藤継信・忠信兄弟の墓で知られる福島市の寺
5. ヘミングウェイの短編小説『〇〇〇〇〇〇の雪』
8. アマダイの福井や京都などでの呼び名
10. ヒルトン・ホテルの創業者のファーストネームで同ホテル・グループ内の高級ホテルのブランド名
12. 日露戦争後から太平洋戦争敗戦まで北緯50度以南が日本領だった島
13. 『ジプシー歌集』『血の婚礼』などで知られるスペインの詩人・劇作家、ガルシア・〇〇〇
14. パスカルの有名な言葉「人間は考える〇〇である」
16. 知らぬ存ぜぬと切るもの

ヨコのカギ

1. 優良な真珠を産することで知られる貝
6. ギリシャ神話のエロスと同一視される、ローマ神話の愛の神
7. 浄瑠璃などに脚色された室町時代の伝説上の人物、〇〇〇判官
9. 関西地方でスッポンのこと
10. 海水で芋を洗うサルで有名な、宮崎県南部にある無人島
11. ウィキリークスの広報人で編集長、ジュリアン・〇〇〇〇
13. 鎌倉幕府が京都守護に代わって置いた、〇〇〇〇探題
14. 梵語の第一字母。密教で万物の根源とされる
15. 板垣退助を中心に1874年に土佐で結成され、自由民権運動の中心的な役割を果たした政治結社
17. アポロンから予言能力を与えられながらもその予言を誰も信じないという呪いをかけられた、ギリシャ神話に出てくる女性

第39問 解答欄

1	2	3		4	■	5
6			■	7	8	
9		■	10			
■	11	12			■	
13				■	14	
	■	15		16		
17					■	

解答＝137ページ

解答日　　　月　　　日	解答日　　　月　　　日
時　間　　　　　　分	時　間　　　　　　分

解答日　　　月　　　日	解答日　　　月　　　日
時　間　　　　　　分	時　間　　　　　　分

趣味の焼き物として 広く愛好される、○○焼?

タテのカギ

1. 『日本政治思想史研究』『現代政治の思想と行動』などを著し、戦後民主主義思想を主導した政治・思想史学者
2. 船の後部、ともを艫（とも）というのに対して船首、へさきのこと
3. 16世紀に起こった、フランスのカルバン派プロテスタントの総称
4. 毛髪、露点、電気式などがある○○○計
5. 井原西鶴、竹本義太夫、近松門左衛門らが活躍した上方文化
8. 古代ローマの軍神
10. 南北戦争の北軍総司令官で第18代米大統領
12. 醍醐天皇が神泉苑（しんせんえん）の御宴の折、捕らえようとすると素直に従ったため位を授けたという故事に由来する鳥
15. 現地語で「何もない」という意味、アフリカ南西部の○○○砂漠

ヨコのカギ

1. 仏教では天上に咲くという花の名
6. 歌に合わせて踊るあやつり人形
7. 冬は「眠る」、春は「笑う」といえばこれ
9. ホタルジャコ科の魚・アカムツの、山陰・北陸地方での呼び名
11. 渡辺淳一の小説『失楽園』で、主人公の男女が心中の際に飲んだことでも知られる銘醸ワイン、シャトー・○○○○
13. 趣味の焼き物として広く愛好される、○○焼
14. 華岡青洲が成功させた、世界初の全身○○○下での手術
15. 盛岡藩の別名、○○○藩
16. 『多情仏心』『極楽とんぼ』などで知られる作家。有島武郎の弟
17. 『鉢かづき』『一寸法師』『浦島太郎』は○○○草子の一編

第40問 解答欄

¹		²	³	⁴		⁵
	■	⁶			■	
⁷	⁸	■	⁹		¹⁰	
¹¹		¹²		■	¹³	
¹⁴			■	¹⁵		
	■	¹⁶				
¹⁷			■		■	

解答=137ページ

解答日 　月　　日	解答日 　月　　日
時　間　　　　分	時　間　　　　分
解答日 　月　　日	解答日 　月　　日
時　間　　　　分	時　間　　　　分

『わが祖国』『売られた花嫁』で知られるチェコの作曲家？

タテのカギ

1. 日露戦争における連合艦隊の旗艦
2. 大雪山系南部、上川管内美瑛町と十勝管内新得町の境にある、標高2141メートルの〇〇〇〇〇山。ナキウサギの生息地としても知られる
3. 細胞膜の浸透圧や脂肪代謝の調節などに関わる、強アルカリ性の物質
4. 古代ギリシャの主要銀貨で、ユーロ移行前のギリシャの通貨単位
5. 肥料の三要素といえば窒素・〇〇酸・カリウム
6. 仮名垣魯文の滑稽小説『〇〇〇鍋』
10. 『わが祖国』『売られた花嫁』で知られるチェコの作曲家
12. 仏の有する智慧、〇〇〇〇種智
13. ブリの出世魚としての名で、ワカシとワラサの間
14. 1854年に締結された、日米〇〇〇条約
16. 武断政治の反対は、〇〇〇政治
18. 光や音などの刺激の有無や、差異などが、感知できるか否かの境目

ヨコのカギ

1. 糸粒体とも呼ばれる細胞小器官。独自のDNAを持ち、自己増殖する
7. 和歌や俳句で第1句の5文字のこと
8. 言語学者ソシュールの用語で、同じ共同体のなかで規定された音・文法・意味などに関する規則の体系としての「言語」のこと
9. 2018年のFIFAワールドカップ、日本対コロンビア戦の開催地
11. 高所恐怖症の刑事が主人公のヒッチコック監督の映画
13. 平賀源内が織った火浣布に混ぜられた耐火性物質
15. 漢字で「螺」と書く、大型の食用巻き貝の総称
17. 旧約聖書で、モーセが「十戒」を授けられた山
19. 金本位制度下で中央銀行によって発行された、〇〇〇銀行券
20. 源義経の伝説に出てくる陰陽師で文武の達人、〇〇〇法眼

第41問 解答欄

1	2	3		4	5	6
7			■	8		
9			10		■	
■		■	11		12	■
13		14		■	15	16
	■	17		18		
19			■	20		

解答＝138ページ

解答日　　月　　日	解答日　　月　　日
時　間　　　　分	時　間　　　　分
解答日　　月　　日	解答日　　月　　日
時　間　　　　分	時　間　　　　分

太平を楽しむさまを意味する故事成語、○○○撃壌?

タテのカギ

1. 1880年に福沢諭吉の提唱により設立された、日本最初の社交クラブ
2. 航空機の飛行高度に用いられる単位
3. 梶山季之が1962年に発表した推理小説『○○の試走車』。自動車業界の産業スパイの暗躍を描いた
4. 猿田彦の相という顔を赤くし鼻が高く突き出た神楽の面、○○の鼻
5. ボルテールにより出版された遺稿で激しい政治批判・宗教批判を展開し、18世紀の思想界に影響を与えたフランスの聖職者
7. ハマーショルドの事故死を受け就任した第3代国連事務総長
10. ことわざ「亭主の好きな○○○○○」
12. サリンジャー著の青春文学の古典『○○○○畑でつかまえて』
13. 刀の柄や鞘などに留め金としてはめた環状の金具
16. 1959年に初めて月の裏側の様子を撮影した、ソ連の無人探査機

ヨコのカギ

1. 太平を楽しむさまを意味する故事成語、○○○撃壌
4. ギリシャ語のアルファベットの最後の文字
6. 発声・滑舌練習に使われる長科白（ながぜりふ）でも知られる、歌舞伎十八番のひとつ
8. 重力加速度の単位
9. シャーロット・ブロンテの長編小説『ジェーン・○○』
11. デンマークの本土とドイツの北端部を含む、○○○○○半島
14. 関東大震災直後、甘粕正彦大尉により無政府主義者として大杉栄らとともに虐殺された女性解放運動家
15. 韓国相撲とも呼ばれる、朝鮮半島の格闘技
17. 大正末期に民芸運動を提唱した美術評論家・宗教哲学者

第42問 解答欄

1	2	3	■	4	5	
6			7			■
8		■		■	9	10
11		12		13	■	
	■	14				
15	16		■		■	
17						

解答=138ページ

解答日	月	日	解答日	月	日
時　間		分	時　間		分

解答日	月	日	解答日	月	日
時　間		分	時　間		分

釈尊がこの樹下で悟りを開いたと伝えられる木？

タテのカギ

1. 新約聖書に出てくる、死後イエスが復活させたといわれる人物
2. 地位も財力もない野心家の青年ジュリアン・ソレルが主人公の小説
3. 千葉県で唯一のひらがな表記の市。第三セクターの鉄道でも有名
4. ジャン・ジャック・ルソーが著した、近代教育学の古典的作品
5. 刺し身や吸い物に用いられるつけあわせのこと
6. 藤原仲麻呂の子と伝えられる平安初期の法相宗の僧。最澄としばしば論争したことで知られ、筑波山の中禅寺や会津の慧日寺を開創
9. 釈尊がこの樹下で悟りを開いたと伝えられる木
12. スコットランド産の太い羊毛を手織りした毛織物。スコッチ・〇〇〇〇とも
13. 古文で「ぞ、なむ、や、か、こそ」といえば〇〇〇結びの法則
14. 前世。また、前世からの因縁のこと
17. 仏教では衆生がこの世で受けるものには4種あるといわれるもの
18. 要素を一つも含まない、〇〇集合

ヨコのカギ

1. 『クレーヴの奥方』が代表作。フランスの作家、〇〇〇〇〇〇夫人
7. 歌舞伎の大道具で、浄瑠璃連中が並ぶ山台を隠すのに用いる幕
8. 映画『カッコーの巣の上で』でも描かれた、前頭葉白質切截術（せっさい）と訳される精神外科技法。現在は行われていない
10. 馬術で馬が前脚を高く上げて足早に駆ける、〇〇足
11. フィギュアスケートでアクセルの次に高難易度とされるジャンプ
13. ギリシャ語で物理的な時間を意味するクロノスに対し、瞬間時（時刻）を意味する語。決断すべき機会の意味もある
15. ことわざ「〇〇と喧嘩（けんか）は江戸の花」
16. レプトンとともに物質の基本的な構成要素
19. 山口県の秋芳洞、高知県の龍河洞とともに日本三大鍾乳洞とされる岩手県岩泉町にある鍾乳洞

第43問 解答欄

1		2	3	4	5	6
	■	7				
8	9				■	
■	10		11		12	
13			14	■		■
15		■	16	17		18
19						

解答=138ページ

解答日　　月　　日　　　　解答日　　月　　日

時　間　　　　　分　　　　時　間　　　　　分

解答日　　月　　日　　　　解答日　　月　　日

時　間　　　　　分　　　　時　間　　　　　分

鎌倉後期の僧、無住による仏教説話集『○○○○集』?

タテのカギ

1. 需要の基本法則に反して、価格が上がると需要も増える商品のこと。19世紀後半～20世紀初頭の英国人経済学者の名に由来
2. 鎌倉後期の僧、無住による仏教説話集『○○○○集』
3. 1904年に木下尚江が著した、日本社会主義文学の先駆的作品
4. アミラーゼによりデンプンから生成される二糖類の一つ、○○○糖
8. 米の女性作家、ストーの代表作『アンクル・トムの○○』
9. 西洋野菜のチコリーの和名
11. フランス語で「バイエルンの」を意味するデザート
13. ボクシングのグローブの重さや香水の体積に用いられる単位
15. ことわざ「人の○○に戸は立てられぬ」
16. 能『鉢木(はちのき)』に登場する武士、○○源左衛門常世

ヨコのカギ

1. 「倭人伝」で知られる、『三国志』のなかの史書
3. 「蘖」と書く、木の切り株から新しく生えた芽
5. おもに義太夫節の用語で、男女の恋愛についての語り物
6. 僧に施す金品のこと
7. 骨とう品につきものの、品の名称や鑑定を書き署名・押印したもの
10. 1939年制作、J・フォード監督、J・ウェイン主演の西部劇の傑作
12. イタリアの記号論学者、U・エーコが書いた小説『○○の名前』
13. ことわざ「○○も十八番茶も出花」
14. 天女の姿をした鬼子母神像が手にする、吉祥果とも呼ばれる果物
16. 杜甫の詩『春望』の冒頭「国破れて○○○あり」
17. 1910年刊。数々の革新的短歌を収めた石川啄木の第一歌集

第44問 解答欄

1	2	■	3		4	
5				■		■
6		■	7	8		9
10		11			■	
	■	12		■	13	
14	15		■	16		
17						

解答=139ページ

解答日	月	日	解答日	月	日
時　間		分	時　間		分

解答日	月	日	解答日	月	日
時　間		分	時　間		分

魚が産卵のために、深場から浅い所へと移動すること?

タテのカギ

1. 「●」だけで表した『冬眠』、「る」を連ねた『春殖』、「Q」を配置した『天気』などの自由詩でも知られる詩人
2. 1998年発売の初代iMacの筐体(きょうたい)の色、〇〇〇〇ブルー
3. 岡本一平の妻で太郎の母、歌人・小説家の岡本〇〇〇
4. 隣国・呉との抗争で知られる、春秋戦国時代の列国の一つ
5. 「天牛」とも書く昆虫、〇〇〇〇ムシ
8. 室町中期に北海道・渡島半島を舞台に蜂起、戦死したアイヌ民族の首長
10. 起死回生、不老不死の薬のこと
13. 下級のものが仮に上級のものの職務をつかさどるときの名称
15. 数字選択式宝くじのこと
17. バイカル山脈に発し、北東に流れて北極海に至る〇〇川
18. 東大総長で「小さな親切運動」を提唱した物理学者、〇〇誠司

ヨコのカギ

1. 小説『のぼり窯』、戯曲『火山灰地』などで知られる作家・演出家
6. リトマス試験紙が青から赤になるのはこの性質
7. 魚が産卵のために深場から浅い所へと移動すること
9. 『坊っちゃん』に登場する画学教師で、赤シャツの腰ぎんちゃく
11. 前漢の司馬遷が完成した全130巻の紀伝体による史書
12. 大江健三郎の芥川賞受賞作
13. 外国民謡『アルプス一万尺』で「アルプス一万尺…」に続く言葉
14. 講談や浪曲では清水次郎長の宿敵、〇〇〇〇の勝蔵
16. 「再構築、たて直し」を意味する、旧ソ連の改革運動
19. 五穀をつかさどる倉稲魂(うかのみたま)。またそれを祀(まつ)ったもの
20. 『仮名手本忠臣蔵』で、浅野内匠頭長矩に擬せられる、〇〇〇判官

第45問 解答欄

1	2		3	4	■	5
6		■	7		8	
9		10		■	11	
12			■	13		
	■	14	15			■
16	17					18
19			■	20		

解答=139ページ

解答日　　月　　日	解答日　　月　　日
時　間　　　　分	時　間　　　　分
解答日　　月　　日	解答日　　月　　日
時　間　　　　分	時　間　　　　分

互いに似ているもののたとえ「已己巳己」の読み?

タテのカギ

1. 慶長年間に徳川家康から「康」の字を拝領した越前の刀工・康継と、その一門の鍛えた刀剣の名称
2. 訓読すると「ふるきをたずねてあたらしきをしる」となる四字熟語
3. 『迷路』『秀吉と利休』などで知られる作家、〇〇〇弥生子
4. 炭鉱の閉山後は石油化学工業都市として発展した山口県南西部の市
5. 一般的には2席の主座席と2枚ドアが特徴の箱型乗用車のこと
6. 1922年にH・カーターによって王墓が発見された古代エジプトの王
10. 勢いがついて、行きがかり上やめにくいことのたとえ。〇〇の勢い
14. 仏教で日を定めて催した法会や修法が終了すること。また、その日
16. 旧称をクリスチャニアという北欧の都市
19. 東西方言の境界線という説もある、岐阜県西部を流れる〇〇川

ヨコのカギ

1. イタリア・カプリ島の観光名所である海食洞
7. 九州東部を流れる〇〇〇川は、国内でサケが遡上する南限とされる
8. 緑黄色野菜に多く含まれる、〇〇〇・カロテン
9. 互いに似ているもののたとえ「已己巳己」の読み
11. 米国のフィラデルフィアを建設した、ウィリアム・〇〇
12. 『孫子』に由来する故事成語「〇〇に陥れて然る後に生く」
13. 仏教で、内心と外面が違うことを意味する言葉
15. 海藻に潮水を注ぎかけて塩分を多く含ませたものを焼いて水に溶かし、その上澄みを釜で煮詰めて製造した塩
17. 映画『第三の男』でも有名な南ドイツ・オーストリアなどの弦楽器
18. 人物画・花鳥画とともに東洋画の三大画題の一つ
20. ケインズ経済学の発展に寄与し、他方でマルクス経済学も研究した、20世紀で最も偉大な女性経済学者とされるジョーン・〇〇〇〇〇

第46問 解答欄

1	2	3		4	5	6
7			■	8		
9			10	■	11	
12		■	13	14	■	
15		16	■	17		
18			19		■	
	■	20				

解答=139ページ

解答日	月	日		解答日	月	日
時　間		分		時　間		分

解答日	月	日		解答日	月	日
時　間		分		時　間		分

鳥は食うとも○○食うな。
鳥類の肺臓の俗称?

タテのカギ

1. 玉城朝薫（たまぐすくちょうくん）が創始し、300年前の1719年に初めて上演されたとされる、沖縄に継承されている楽劇

2. JR線で最も高地の野辺山駅でも知られる、○○○線

3. 豊臣秀吉の辞世の歌の冒頭「○○と落ち　○○と消えにし…」

4. イタリア製西部劇映画の日本での呼び名、○○○○・ウェスタン

5. 取引所での午後の立会のこと

7. 五大栄養素の一つで、無機質のこと

9. アフリカの草原などに棲む、槍（やり）やサーベル状の長い角を持つ動物

12. 『伊勢物語』の歌にちなむ、団子や橋に名を残す東京の地名

13. 第16・20・25・35代米国大統領の死因

15. 仏の坐法で、禅定修行の者が行う○○○跏坐（ふざ）（ぎほう）

18. ほぼ完全に近いこと。○○九厘

ヨコのカギ

1. 中国の古典解釈の学問、○○○学

3. 国の重要伝統的建造物群保存地区になっている、中山道の宿場町

6. 大伴家持の歌より詞を採り、信時潔が1937年に作曲した、戦時中の大本営発表で玉砕を伝える際に冒頭曲として流された歌曲

8. 修験道の霊山として知られる、奈良県吉野の地にある○○○○山

10. 鳥類の肺臓の俗称。鳥は食うとも○○食うな

11. スパルタを中心都市とした、ギリシャ・ペロポネソス半島南部の地方

14. 1899年の著作『文化科学と自然科学』などで自然科学に対して歴史科学あるいは文化科学の特質を明らかにした、ドイツの哲学者

16. アンデルセンの童話『赤い○○』

17. 胞子茎をツクシという、スギナは○○○科の植物

19. 奈良の法興寺の旧跡・安居院（あんご）にある鞍作鳥（くらつくりのとり）の作といわれる仏像の通称

第47問 解答欄

1		2	■	3	4	5
	■	6	7			
8	9			■		■
10		■	11	12		13
14		15			■	
■	16		■	17	18	
19						

解答=140ページ

解答日　　月　　日	解答日　　月　　日
時　間　　　　分	時　間　　　　分
解答日　　月　　日	解答日　　月　　日
時　間　　　　分	時　間　　　　分

物理学で弦理論とも呼ばれる 粒子に関する○○理論?

タテのカギ

1. 針金のような人物像で知られる、スイスの彫刻家・画家
2. 薔薇戦争は英国の封建貴族、ランカスター家と○○○家との内乱
3. 欧州連合の父の一人といわれた、フランスの実業家で政治家
4. 「をかし」と並ぶ、日本文学における美的理念。歴史的仮名遣いで
5. クリオネは○○○○○○科の動物
8. スピリの有名な児童文学『アルプスの少女○○○』
10. 仏や菩薩が衆生を憐れみ、いつくしむ心
14. 孫悟空の乗り物、○○○雲
16. 仏教で、特定の対象を離れた無差別平等の世界、○○○法界
18. 息が詰まったときに発する声。○○の音も出ない
20. 米航空宇宙局の略称

ヨコのカギ

1. 2015年4月まではグルジアの名で知られていた国
6. 世界初の女性宇宙飛行士、テレシコワの発した言葉「○○・チャイカ」
7. 『みだれ髪』所収の与謝野晶子の歌「○○○○のあつき血汐にふれも見でさびしからずや道を説く君」
9. 『漕げよマイケル』『聖者の行進』はこの歌の代表的作品
11. 物理学で弦理論とも呼ばれる、粒子に関する○○理論
12. おたふく風邪の正式名、流行性○○腺炎
13. 萩原朔太郎の詩集『○○に吠える』
15. 夜に葉が閉じて垂れることで知られる植物、○○の木
17. 大河ドラマ『いだてん』にも登場。冒険作家・押川春浪を中心に明治末期ごろに結成されたスポーツ愛好者団体、○○○倶楽部
19. 愛らしい表情で人気の、首が短く丸い体をしたスズメ目の鳥
21. 京都・堀川に古義堂を開いた江戸前期の儒学者。諡号は古学先生

第48問 解答欄

1	2		3	4	■	5
6		■	7		8	
9		10				
	■	11		■	12	
13	14	■	15	16	■	
17		18	■	19	20	
21						

解答=140ページ

解答日	月	日	解答日	月	日
時　間		分	時　間		分

解答日	月	日	解答日	月	日
時　間		分	時　間		分

第49問 竹・木などで作った 低く目の粗い垣。○○垣?

タテのカギ

1. ギリシャ神話でアマゾンの女王。アキレスと戦って敗死した
2. 幻想的・神秘的な作風で知られるフランスの画家・版画家
3. ヒョウタンなどにつけた刻みを棒でこすって音を出す、中南米の楽器
4. ドイツ東部の地主貴族の呼称。ビスマルクはこの階層の出身
5. 11～13世紀に南フランスのオック語で作品を創り出した詩人兼楽人
8. ロマネスク様式のサン・イシドロ教会やゴシック様式の大聖堂で知られる、スペイン北西部の都市
10. 北欧神話の巨人で南の果てにある火焔界(かえん)の支配者。炎の剣を持つ
12. 徴兵検査で第一級合格の意、○○○○合格
14. 1915年に日本の「対華二十一カ条要求」を最後通牒(つうちょう)で受諾した日、5月9日の中国での呼称、○○○記念日
17. 竹・木などで作った、低く目の粗い垣。○○垣

ヨコのカギ

1. イプセンの詩劇。付帯音楽であるグリーグ作曲の管弦楽曲も有名
6. 引き分け試合のこと。○○○・ゲーム
7. 人を操る手段。○○○手管
9. 北アフリカで城塞に囲まれた居住地区。アルジェのものが有名
11. 元気がなくしょげている様子。青菜に○○
12. 南北戦争を背景にした2003年製作の映画『○○○○・マウンテン』
13. 中国・戦国時代に秦が仕掛けた外交政策、○○○○策
15. アブラナやフキなどの花軸や花茎。○○が立つ
16. 日南海岸・志布志湾に臨み、都井岬や幸島がある宮崎県○○○市
18. 『資本論を読む』などの著書がある、構造主義的マルクス主義の代表であるフランスの哲学者

第49問 解答欄

1		2	3	4		5
	■	6			■	
7	8		■	9	10	
11		■	12			
13		14		■	15	
	■	16		17		■
18						

解答=140ページ

解答日　　月　　日	解答日　　月　　日
時　間　　　　　分	時　間　　　　　分
解答日　　月　　日	解答日　　月　　日
時　間　　　　　分	時　間　　　　　分

ラグビーのポジションで背番号2といえば?

タテのカギ

1. 『コブザーリ (吟遊詩人)』などの詩集で民族意識を鼓吹した、ウクライナの国民的詩人・画家
2. 英国の童話作家ルイス・キャロルの代表作の主人公である少女
3. 大移動で知られる、アフリカ東部から南部に生息する動物
4. オーストラリア南西部に生息する、いつも笑顔でいることから「世界一幸せな動物」ともいわれる有袋類の呼称の一つ
5. 野生の動植物が生態系を保って生息する環境のこと
6. 世界三大自動車レースの一つが開催されるフランス北西部の都市
10. ディケンズと並ぶ19世紀英国の作家。代表作『虚栄の市』
11. フランス占領下での講演「ドイツ国民に告ぐ」で知られる哲学者
14. 漢文の返り点の一つで、1文字返って訓読することを表す
16. 反面教師と同様の意味のことわざ、他山の○○

ヨコのカギ

1. 近年リゾート地として注目されているカンボジア南部の港湾都市
7. 北米の五大湖の一つ、○○○湖
8. ブランドマグロで知られる、下北半島先端の町
9. 15世紀初めに宗教改革を唱え、火刑に処せられたボヘミアの神学者
10. 遺伝の染色体説のさきがけとなった、米国の遺伝学者
11. ラグビーのポジションで背番号2といえば
12. ベートーベンの交響曲第3番『英雄』のイタリア語に由来する題名
13. 「それ以前」を表す接頭語。ポストの反対語
15. フックの法則とは、ばねのような弾性体のひずみは○○○限界内で応力に○○○するという法則
17. フランスの思想家・批評家のロラン・バルトが唱えた、ある言葉が持つ潜在的・多層的な記号としての意味。共示と訳される

第50問 解答欄

1	2	3		4	5	6
7			■	8		
9		■	10			
	■	11				■
12				■	13	14
	■	15		16		■
17						

解答=140ページ

解答日　　月　　日	解答日　　月　　日
時　間　　　　　分	時　間　　　　　分
解答日　　月　　日	解答日　　月　　日
時　間　　　　　分	時　間　　　　　分

柾目（まさめ）に対し、板の木目の
まっすぐでないもの？

タテのカギ

1. 中国の伝説に由来する、太陽と月、転じて歳月を意味する四字熟語

2. 船員法、船舶法に基づく各種手続きを代行する、〇〇〇代理士

3. 茶の生産地として知られる福岡県南部の市

4. 近年は再開発が進む、ロンドンのシティー東部の労働者居住区

6. 鳥羽院の寵（ちょう）を得たという伝説上の美女で金毛九尾の狐（きつね）の化身とされる、〇〇〇の前。謡曲『殺生石』などの題材となった

8. 出雲地方の名物料理、〇〇〇そば

9. 先例を繰り返すこと。〇〇を踏む

12. ペーパー・バック叢書（そうしょ）で知られる、英国の〇〇〇〇・ブックス

14. サヴォイア家の王宮があることでも知られる、イタリアの工業都市

16. 明治・大正期の詩人、山村暮鳥の死後に刊行された代表的詩集

ヨコのカギ

1. 1942年に日本軍が占領したが翌年のアッツ島玉砕を受け、撤退を余儀なくされた北太平洋アリューシャン列島の〇〇〇島

3. アムステルダムの自警団を描いた、レンブラントの代表作の通称

5. 柾目（まさめ）に対し、板の木目のまっすぐでないもの

7. 闘牛やミカンの産地として知られる、愛媛県南西部の市

9. 英国の作家、ハーディの代表作。貧農の娘の悲劇を描く

10. 世間に対する付き合いから形式的に行うこと。〇〇一遍

11. 電動アシスト自転車とは区別される、軽量で低速走行用の補助エンジン付き自転車の通称

13. 天皇の治世の長久・繁栄を寿ぎ（ことほ）祝って奏上する詞

15. 東京・文京区にある、元禄年間に柳沢吉保が別邸に造った名園

17. 1923年末に起きた摂政宮裕仁親王の暗殺未遂事件、〇〇〇〇〇事件

第51問 解答欄

1		2	■	3		4
	■	5	6		■	
7	8			■	9	
10		■	11	12		
13		14	■		■	
	■	15	16			
17					■	

解答=141ページ

解答日　　月　　日	解答日　　月　　日
時　間　　　　分	時　間　　　　分
解答日　　月　　日	解答日　　月　　日
時　間　　　　分	時　間　　　　分

医師の職業倫理を述べた ヒポクラテスの○○○？

タテのカギ

1. 元号「令和」の出典である、現存する最古の歌集
2. ペルーとボリビアの国境、湖面標高約3810メートルに位置する湖
3. 堺屋太一著の、1985年のベストセラー『○○革命』
4. 親鸞の語録『歎異抄』を編んだとされる、親鸞の弟子
5. 関東大震災後の住宅供給を目的に、1924年に設立された財団法人
10. パラボラアンテナのパラボラとは○○○○線のこと
12. 原子核物理学における、核反応の反応断面積の単位。10のマイナス28乗平方メートルを1とする
13. 152歳まで生きたといわれるイングランド人、トーマス・○○
16. 旧約聖書中の人物でアブラハムの甥。その妻はソドムの滅亡に際し、脱出中に「後ろを振り向くな」という警告を破って塩の柱となった

ヨコのカギ

1. ネットワーク状に結託することで資本主義の矛盾に対抗できるとした多種多様な民衆のこと。哲学者A・ネグリとM・ハートが提唱
6. 医師の職業倫理を述べた、ヒポクラテスの○○○
7. 写真乳剤や人工降雨のための凍結核に用いる、○○○銀
8. イースター島のロンゴロンゴ文字はこの一種とされる
9. ペルー発祥の箱型の打楽器
11. 『資治通鑑』を完成させた北宋の政治家・学者
13. ギリシャ神話の牧畜の神。山羊の脚・角・ひげを持ち、歌舞を好む
14. ウランの元素記号
15. 運動性言語中枢とも呼ばれる、大脳皮質の前頭葉にある○○○○野
17. 女性として3人目のノーベル文学賞受賞者で、『クリスティン・ラヴランスダッテル』三部作で知られるノルウェーの作家

第52問 解答欄

1		2	3	4		5
	■	6			■	
7			■	8		
	■	9	10		■	
11	12			■	13	
14		■	15	16		
17					■	

解答=141ページ

解答日　　　月　　　日	解答日　　　月　　　日
時　間　　　　　　分	時　間　　　　　　分
解答日　　　月　　　日	解答日　　　月　　　日
時　間　　　　　　分	時　間　　　　　　分

蒲松齢が著した 中国・清代の怪異小説集?

タテのカギ

1. 1918年のドイツ革命後にドイツ共産党を創設するも、翌年1月にローザ・ルクセンブルクとともに虐殺されたカール・〇〇〇〇〇〇〇
2. 「占師のピラミッド」「総督の館」「尼僧院」などの建造物で知られる、メキシコ・ユカタン半島にあるマヤ文明の遺跡
3. 精神分析用語で、幼時に形成された愛する人の理想像
4. 天体の1点を2か所から眺め比べたときの方向の差
5. 仏像などを計る尺度で親指と中指とを伸ばした長さ
9. 最も工程が複雑な蒔絵技法とされる、〇〇〇〇研出蒔絵
11. 竹や葦、檜などを薄く削ったものを斜めまたは縦横に編んだもの
12. 国連気候変動枠組条約締約国会議の略として知られる言葉
16. コーヒーを抽出するのに紙ではなく布で抽出する、〇〇ドリップ

ヨコのカギ

1. 蒲松齢が著した、中国・清代の怪異小説集
6. 企業と求職者の双方が、相手側の求める条件を正確に把握していないことによっておこるミスマッチ失業の一つ、〇〇〇的失業
7. ギリシャ神話でエロスに愛された美女
8. テレビ時代劇『三匹の侍』から映画監督へ転じた、〇〇〇英雄
10. 競馬史に名を刻むイタリアの馬産家、フェデリコ・テシオが手掛けた、リボーと並ぶ名馬。競走馬としても種牡馬としても活躍した
13. 生・老・病・死の総称
14. 『論語』に由来する清貧を楽しむ意のことわざ、〇〇を曲げる
15. 歌舞伎の大道具で、舞台面より高さ1尺4寸に組んだ二重舞台
17. シュールレアリスムなどで使われる「だまし絵」を指すフランス語

第53問 解答欄

1		2		3	4	5
	■	■		6		
7					■	
	■		■	8	9	
10	11		12	■	13	
14		■	15	16		
17						

解答=141ページ

解答日	月	日	解答日	月	日
時 間		分	時 間		分

解答日	月	日	解答日	月	日
時 間		分	時 間		分

グラッセや甘露煮に共通する調理法?

タテのカギ

1. 事実無根の風説も主張する人が多ければ信じる人が増え、人心を惑わすという意味のことわざ。ある猛獣の名前が入る
2. 梵語（ぼんご）に由来する、大きいさま、多いさまを表す語
3. グラッセや甘露煮にも共通する調理法
4. パリで1884年以来開かれている、無審査・無授賞の展覧会
6. 先端を削いだ竹を用いた、城郭の防御施設の一種
8. 邪心を改めて仏の正道に帰依すること
10. ノコギリなどの目がつぶれて鈍くなったものを鋭くすること
12. 蓮如が越前国に建立した北陸教化の拠点、〇〇〇〇御坊
15. ベートーベンとチャイコフスキーの名曲に共通する名前
17. 茶杓（ちゃしゃく）の先端の名称

ヨコのカギ

1. 中腹にある宝山寺は「〇〇〇聖天」と呼ばれる、〇〇〇山
3. 南満州鉄道が大連—ハルビン間で運行していた特急、〇〇〇号
5. 19世紀末に発表され、チェーホフの名声を確立した代表的戯曲
7. 日本刀の刃と地肌との境目に現れる、雲や粟粒（あわつぶ）のような模様
9. ガリレオ・ガリレイによって発見された、木星の第3衛星
11. 武家で政務に参与した重臣のこと
13. ポリネシア産が精巧なものとして知られる、樹木皮からなる布
14. 眼球の角膜の歪（ゆが）みにより、光線が網膜上の1点に集まらない状態
15. 諸仏の周囲を飛行遊泳し、礼賛する天人
16. 建武政権の訴訟機関、〇〇〇決断所
18. 象山先生と称された、南宋の儒家。心則理を主張して朱子の主知的哲学に対抗。その思想は後の陽明学につながった

第54問 解答欄

1		2	■	3		4
	■	5	6		■	
7	8	■	9		10	
11		12		■	13	
14			■	15		
■	16	17			■	
18						

解答=142ページ

解答日	月	日		解答日	月	日
時 間		分		時 間		分

解答日	月	日		解答日	月	日
時 間		分		時 間		分

マニラがあるフィリピンの主要島、○○○島?

タテのカギ

1. ルネサンス期フランスの作家、ラブレーが物語に描いた巨人国の王
2. 明治初期の警察官の称で、巡査の旧称
3. 国家公務員法で定める懲戒処分とは異なる、比較的軽い処分の一つ
4. ルイ14世の治世で最盛期を迎えた、フランスの王朝
5. エーゲ海南部・ロードス島の巨像の名に由来する、第二次大戦中に英国がナチスの暗号解読用に開発したコンピューター
8. 酸いも甘いも噛み分けた老獪な人物を表す言葉、○○○○山千
11. 645年に定められた、日本最初の元号
12. 京都・広隆寺の弥勒菩薩像が典型とされる、○○○思惟像
14. もと東京市35区の一つで、古くは品川沖を望む東海道の景勝地
15. 北欧神話で「災難の起こし手」などと呼ばれる神

ヨコのカギ

1. 1885年に創刊された硯友社の機関誌で、日本最初の小説系同人雑誌。初めは尾崎紅葉、山田美妙らによる筆写回覧雑誌
6. マニラがあるフィリピンの主要島、○○○島
7. 薬師三尊で中央の薬師如来の脇侍として配される菩薩の片方
9. セリ科の一年草で、種子は香辛料としてカレーの原料などに使われる
10. 伊勢湾と矢作川の間に位置する、○○半島
12. 仏教とのかかわりが強い植物といえばこれ
13. 哲学で万物の本質を精神的なものに求める、存在論上の立場。プラトン、ライプニッツ、ヘーゲルがその代表
16. 紅海最北部、アラビア半島とシナイ半島に挟まれた○○○湾
17. 平安末期に俊寛が流された、○○○ヶ島。所在地には諸説ある

第55問 解答欄

1	2	3		4		5
6			■		■	
7			8			
	■	9			■	
10	11	■		■	12	
13		14		15		■
16			■	17		

解答=142ページ

解答日	月	日		解答日	月	日
時　間		分		時　間		分

解答日	月	日		解答日	月	日
時　間		分		時　間		分

イタリア語で大衆食堂のこと。また、ギリシャ料理の店?

タテのカギ

1. 死せるイエス・キリストを膝に抱いて嘆き悲しむ聖母マリアの像
2. カヴール、マッツィーニ、ガリバルディらが指導した、19世紀のイタリアに起きた祖国の統一と解放とを目指す運動
3. ことわざ「転ばぬ先の〇〇」
4. ボウモア、ラフロイグなどの醸造所があり、スコッチ・ウイスキーの聖地ともいわれる、〇〇〇島
7. 数学用語で、大きさと向きを有する量
8. 江戸時代、商人が産地で買い入れて流通した米、〇〇米
10. 『カンタベリー物語』で知られる、「英詩の父」と呼ばれる詩人
12. 先カンブリア時代に形成された安定大陸。造山帯に対する概念
13. 正式名称を三式戦闘機という、旧日本陸軍の単座戦闘機
16. 人生経験豊富なこと。〇〇も甘いも嚙み分ける

ヨコのカギ

1. 1917年に制定された、すぐれた報道・文学・音楽に授与される賞に名を遺す、米国の新聞人
5. 音楽の記号でフラットは変記号、シャープは〇〇記号
6. イタリア語で大衆食堂のこと。また、ギリシャ料理の店
9. 馬場の周囲の柵
11. 猛毒蛇を食い殺す鳥を神格化した、〇〇〇〇明王
13. 吉野山観桜の絶好の場所として知られる、〇〇〇千本
14. フランス料理で煮込みのこと
15. コラージュ、フロッタージュ（こすり出し）などの技法で知られる、シュルレアリスムの代表的な画家
17. 産業革命の概念を普及させた経済学者と、その甥で『歴史の研究』で知られる歴史学者に共通する姓

第56問 解答欄

¹		²		³	⁴	
	■		■	⁵		■
⁶	⁷		⁸	■	⁹	¹⁰
■	¹¹			¹²	■	
¹³			■	¹⁴		
¹⁵			¹⁶		■	
	■	¹⁷				

解答=142ページ

解答日	月	日		解答日	月	日
時　間		分		時　間		分

解答日	月	日		解答日	月	日
時　間		分		時　間		分

岩手県北東部の港湾都市で、国内最大の琥珀（こはく）の産地？

タテのカギ

1. 曽我兄弟の仇討ち（あだう）ちの相手、工藤祐経（すけつね）の紋所の名

2. ニュージーランドの国鳥

3. 淡路島の南東端、紀淡海峡に面する港町

4. サイドクロス、はやぶさ、つばめなどの技がある遊戯

5. テニスで0点のこと

8. 1599年、ロンドン・テムズ川南岸に開設された、シェークスピアの代表作が上演されたことで知られる劇場

10. 1879年に設立、1999年にハーバード大学に併合された米国の私立女子大学、〇〇〇〇〇大学

12. ポーランド民主化の象徴「連帯」発祥の地、グダニスクのドイツ語名

13. 岩木山は津軽、磐梯山は会津、開聞岳は薩摩といえば

18. ノルウェーのバイキングの一首領で、初代ノルマンディー公

ヨコのカギ

1. 欧州で1500年までの活版印刷術の揺籃（ようらん）期に刊行された印刷物の総称

6. 「鎌倉文士に〇〇〇画家」と称された、埼玉県の地名

7. 投資格言の一つ、〇〇〇千両

9. アムール、ベンガル、スマトラなどの種類がいる猛獣

11. 南フィリピンのイスラム系民族集団の総称

12. スイスの高級葉巻やパイプなどのブランド

14. 観光・保養、学術都市として知られる米アリゾナ州最南部の都市

15. 岩手県北東部の港湾都市で、国内最大の琥珀（こはく）の産地

16. 米ハリウッドのレストラン・オーナーの名前に由来する、レタス、トマト、アボカドや鶏の胸肉、固ゆで卵などを使った〇〇サラダ

17. 酒を温めるのに用いる銅・真鍮（しんちゅう）または錫（すず）製の容器

19. 主著に『自動車の社会的費用』『社会的共通資本』『「豊かな社会」の貧しさ』など。社会や環境の問題にも積極的に関わった理論経済学者

第57問 解答欄

1		2	3	4		5
	■	6			■	
7	8		■	9	10	■
11		■	12			13
14				■	15	
16		■	17	18		■
19						

解答=143ページ

解答日　　月　　日　　　解答日　　月　　日

時　間　　　　分　　　時　間　　　　分

解答日　　月　　日　　　解答日　　月　　日

時　間　　　　分　　　時　間　　　　分

古来、神木として枝葉を神に奉納する植物?

タテのカギ

1. 1919年に孫文が構想、2009年に完成した湖北省の水力発電ダム
2. 詐欺・横領・背任など、強力犯（ごうりき）に対する語
3. 若葉を餅に入れて草餅に、成長した葉は艾（もぐさ）とする植物
4. 『弓と竪琴』などで知られるメキシコの詩人・批評家で外交官でもあったオクタビオ・○○。1990年にノーベル文学賞受賞
5. 父と子と聖霊とは唯一の神が三つの姿となって現れたもので、元来は一つの実体としてあるとする、キリスト教の根幹をなす教義
8. 経営情報システムを表す略語
9. 相撲では仕切り直前に見られる、○○○○の姿勢
11. 石巻湾と太平洋に挟まれた、○○○半島
12. 古来、神木として枝葉を神に奉納する植物
15. 公家の女子の正装で最上層の衣、○○ぎぬ

ヨコのカギ

1. 『ドン・キホーテ』で主人公の従者。現実主義者の典型とされる
6. 掟（おきて）・慣習・法律など、古代ギリシャで人為的なものを指す語
7. 杉や檜（ひのき）などを紙のように薄く削り、写経用にしたもの
8. 孔子の言葉に由来する故事成語「忠言○○に逆らう」
9. 福島の安積、滋賀・京都の琵琶湖が有名な、灌漑（かんがい）や発電用の水路
10. 北朝鮮南東部、江原道の日本海沿岸に位置する港湾都市。かつて日本の新潟港に入港していた万景峰（マンギョンボン）号の母港
13. 祭礼のとき、種々の飾り物などをして引き出す車
14. 旧制の小学校の科目で習字のこと
16. 松尾芭蕉の弟子で、京都・嵯峨野の落柿舎に住んだ俳人

第58問 解答欄

1	2	3	4	5
	■ 6			■
7		■	8	
	■	■ 9		
10	11	12		■
13	■	14	15	
16				

解答=143ページ

解答日　　月　　日	解答日　　月　　日
時　間　　　　分	時　間　　　　分
解答日　　月　　日	解答日　　月　　日
時　間　　　　分	時　間　　　　分

紅と藍とを重ねて染めた明るく渋い青紫色?

タテのカギ

1. 代表作は『車輪の下』。20世紀前半のドイツを代表する文学者

2. 海面上昇による水没の危機がたびたび伝えられる南太平洋の島国

3. 日本で手掛けたコースも多い、ゴルフコース設計家のピート・○○

4. 正式名称は東京優駿、日本○○○○

5. 2018年までベルリンフィルの首席指揮者兼芸術監督、その後はロンドン交響楽団音楽監督のサイモン・○○○

7. 頼山陽が命名した大分県北西部、山国川にある景勝地

10. シェリー酒、ポートワインの製造で名高いポルトガルの酒造会社

11. 紅と藍とを重ねて染めた、明るく渋い青紫色

13. 英語では「Who's Who」、○○○録

14. ことわざ「鳩に三枝の○○あり」

ヨコのカギ

1. 「女ハムレット」とも呼ばれるヒロインの名前がタイトルになっているイプセンの名作戯曲『○○○・ガーブレル』

4. 米テキサス州にある○○○・フォートワース国際空港

6. 19世紀英国の詩人フィッツジェラルドの英訳によって世界に知られた、11〜12世紀イランの詩人ウマル・ハイヤームの四行詩集

8. 城郭の内部を指す語。本○○、二の○○

9. 極端に湾曲した牙が特徴、インドネシアの島に棲むイノシシの仲間

11. 戯曲『オンディーヌ』の原作童話『ウンディーネ』の作者として知られる、ドイツ後期ロマン派の作家

12. 戦後「戦犯作家」の烙印を押された火野葦平の従軍記『麦と○○○○』

13. 神前に供える玉串・注連縄などに垂れ下げるもの

14. 哲学用語で他の定理を証明するため設定される準備的な定理。補題

15. ドイツの哲学者ヘーゲルがフランス皇帝ナポレオン1世を評したといわれる言葉「○○○○○○○が馬に乗って通る」

第59問 解答欄

1	2	3	■	4	5	
6			7			■
8		■	9			10
	■	11			■	
12				■	13	
	■		■	14		
15						

解答=143ページ

解答日　　月　　日	解答日　　月　　日
時　間　　　　　分	時　間　　　　　分
解答日　　月　　日	解答日　　月　　日
時　間　　　　　分	時　間　　　　　分

中国・湖南省と日本・相模国に共通する景勝地の名称?

タテのカギ

1. 1884年生まれ、浪漫的な挿絵で知られる画家
2. 『アルハンブラの思い出』はクラシック○○○の代表的名曲
3. 『荘子』または『淮南子』に由来する四字熟語、○○○○○止水
4. 百人一首の歌「難波潟　短き蘆の　節(ふし)の間(あ)も　逢はでこの世を過ぐしてよとや」でも知られる女性歌人
5. イスラム世界最初の女性首相、パキスタンのベナジル・○○○
8. ○○か過失かの区別は、刑法上の重大な問題の一つ
10. 中国・湖南省と日本・相模国に共通する景勝地の名称
13. バイロンと並ぶ英国のロマン派詩人。夫人は『フランケンシュタイン』の作者として知られる
14. ギリシャ神話で、山・川・泉・樹木やある特定の場所の精
16. ベトナム中部にある、阮(グエン)王朝の古都

ヨコのカギ

1. 南北朝期と江戸時代末期に強く説かれた、天皇と幕府のあり方を正そうとする主張、○○○○○○○論
6. キリシタン用語で「愛」のこと。御○○○○
7. 石原裕次郎が外国映画初進出を果たしたことでも知られる、1965年公開の娯楽映画『素晴らしき○○○○野郎』
9. 中世の自治○○を表したことわざ「○○の空気は自由にする」
11. カエサルのルビコン渡河にまつわることわざ「○○は投げられた」
12. ことわざ「○○の髄から天井のぞく」
14. 1974年以来、ニュージーランドとの自由連合関係をとっている南太平洋の島。日本は2015年に国家として承認
15. サケの腎臓を原料とする塩辛
17. 米独立宣言の起草者で、第3代大統領

第60問 解答欄

1		2	3	4	5	
	■	6				■
7	8			■	9	10
11		■	12	13	■	
	■	14				
15	16		■		■	
17						

解答=143ページ

解答日　　月　　日	解答日　　月　　日
時　間　　　　分	時　間　　　　分
解答日　　月　　日	解答日　　月　　日
時　間　　　　分	時　間　　　　分

クロスワードの 解答 & 一般的な 表記

シ	ン	コ	■	タ	リ	オ
ミ	■	セ	ロ	ン	■	オ
ユ	リ	イ	カ	■	ク	ウ
ラ	ム	ダ	■	ス	ー	ラ
ー	■	イ	ダ	テ	ン	■
ク	ワ	■	ラ	ビ	ッ	ト
ル	シ	タ	ニ	ア	■	キ

タテ 1：シミュラークル　2：古生代　3：湯　4：大浦天主堂　6：ロカ岬　8：リム　9：クーンツ　11：ステビア　13：百万塔陀羅尼　15：双頭の鷲の旗の下に　17：朱鷺　**ヨコ** 1：シンコ・デ・マヨ　3：タリオ　5：世論　7：ユリイカ　9：空　10：ラムダ-4Sロケット　11：スーラ　12：韋駄天　14：桑　16：ラビット　18：ルシタニア

オ	グ	リ	■	キ	ユ	ウ
オ	■	ブ	ン	ジ	■	シ
ノ	バ	ラ	■	ム	シ	ン
ヤ	リ	■	ト	ナ	ン	■
ス	■	フ	リ	ー	ジ	ア
マ	イ	ン	ツ	■	ユ	ー
ロ	ー	ザ	パ	ー	ク	ス

タテ 1：太安万侶　2：リブラ　3：キジムナー　4：有心　7：バリ(島)　9：新宿御苑　11：トリッパ　12：フンザ　13：ホール・アース・カタログ　15：イー(一)　**ヨコ** 1：小栗上野介　3：杞憂　5：桂文治　6：野ばら　8：無心　10：槍の又左　11：斗南の一人　12：フリージア　14：マインツ　16：U字谷　17：ローザ(・)パークス

ア	シ	ワ	ケ	オ	ブ	ネ
ラ	■	カ	イ	カ	■	ル
ビ	ト	ク	■	ピ	ッ	ト
ア	ク	サ	イ	■	パ	リ
ス	イ	■	ス	タ	イ	ン
ウ	テ	ナ	■	ラ	■	ゲ
ジ	ン	ゴ	ケ	イ	ウ	ン

タテ 1：アラビア数字　2：若草物語　3：ジョン・ケイ　4：オカピ　5：ネルトリンゲン　8：特異点定理　10：ツパイ　12：人間椅子　16：たらい　18：名護(市)　**ヨコ** 1：排蘆小船　6：開化丼　7：美徳のよろめき　9：ウィリアム・ピット　11：悪妻　13：パリは燃えているか　14：翠　15：ガートルード・スタイン　17：蓮の台　19：神護景雲

第4問
問題 12〜13ページ

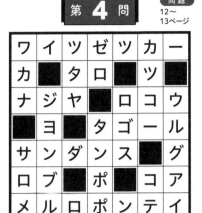

タテ 1：若菜 2：蔦屋重三郎 3：0 4：カッコーの巣の上で 7：ジョン（・）ブル 8：ロゴス 9：ウルグアイ 10：タンポポ 11：サロメ 13：小手 **ヨコ** 1：ワイツゼッカー 5：タロ 6：ナジャ 8：路考 10：タゴール 11：ザ・サンダンス・キッド 12：ロブ 13：コア・コンピタンス 14：メルロ（・）ポンティ

第5問
問題 14〜15ページ

タテ 1：エプソム競馬場 2：波音 3：金明水 4：利根川 5：理非曲直 7：トールキン 8：リンツ 11：シトシン 13：緯線 14：青は藍より出でて藍より青し 15：うち **ヨコ** 1：越南 3：キト 5：リンネ 6：衣通姫 9：シャトー・ムートン・ロートシルト 10：石の上にも三年 12：オリバー・ツイスト 14：秋保温泉 16：西施 17：仁川

第6問
問題 16〜17ページ

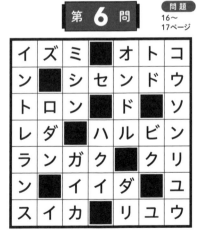

タテ 1：イントレランス 2：ミシン 3：オンドル 4：トド 5：公孫竜 8：ロダン 10：伯夷・叔斉 11：比丘 13：垓下 16：ダリ **ヨコ** 1：泉 3：むかし、男ありけり 6：詩仙堂 7：トロン（TRONプロジェクト） 9：レダ 10：ハルビン 12：蘭学事始 14：庫裡（庫裏） 15：飯田蛇笏 17：スイカ 18：竜（龍）

第7問
問題 18〜19ページ

タテ 1：オマハの賢人 2：羹に懲りて膾を吹く 3：鴻池善右衛門 4：資本論 6：老蘇の森 8：イコン 10：（砧）青磁 11：ピカタ 13：ルーク 15：テリーザ・メイ **ヨコ** 1：人は女に生まれるのではない、女になるのだ 3：孔子 5：魔王 7：背水の陣 9：粗衣粗食 10：鮮卑 12：ケルンの水 14：アキレスと亀 16：受胎告知

127

第 8 問
問題 20〜21ページ

ハ	ツ	ト	ト	リ	ツ	ク
イ	■	オ	ラ	ン	ダ	■
ゼ	ツ	ト	■	カ	■	サ
ン	■	ウ	フ	イ	ツ	ィ
ベ	シ	ミ	■	テ	■	ヤ
ル	ビ	■	ホ	ン	コ	ン
ク	リ	オ	ネ	■	ロ	グ

タテ 1：ハイゼンベルク 2：遠江(国) 3：マレーの虎 4：臨界点 5：津田梅子 8：サイ(・)ヤング 11：しびり 13：死馬の骨を買う 14：ころ **ヨコ** 1：ハット(・)トリック 6：オランダ 7：Z項 9：ウフィツィ美術館 10：べしみ 12：ルビ 13：香港 15：クリオネ 16：ログ

第 9 問
問題 22〜23ページ

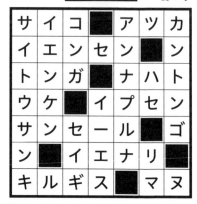

サ	イ	コ	■	ア	ツ	カ
イ	エ	ン	セ	ン	■	ン
ト	ン	ガ	■	ナ	ハ	ト
ウ	ケ	■	イ	プ	セ	ン
サ	ン	セ	ー	ル	■	ゴ
ン	■	イ	エ	ナ	リ	■
キ	ル	ギ	ス	■	マ	ヌ

タテ 1：西東三鬼 2：以遠権 3：コンガ 4：アンナプルナ 5：広東語 9：長谷寺 11：ES細胞 13：正義論 15：リマ **ヨコ** 1：サイコ 4：悪貨は良貨を駆逐する 6：イェンセン 7：トンガ(王国) 8：ナハト 10：有卦 11：イプセン 12：サンセール 14：(徳川)家斉 16：キルギス(共和国) 17：マヌ法典

コラムその①

世界三大あれこれ①

珍獣…ジャイアントパンダ、オカピ、コビトカバ。

珍味…トリュフ、キャビア、フォアグラ。

コーヒー…ブルーマウンテン(ジャマイカ)、キリマンジャロ(タンザニア)、コナ(アメリカ合衆国・ハワイ州)。

がっかり名所…小便小僧(ベルギー)、人魚姫像(デンマーク)、マーライオン(シンガポール)。

第 10 問
問題 24〜25ページ

ミ	レ	ニ	ア	ル	■	シ
ケ	ゴ	■	シ	ロ	タ	エ
ラ	ン	シ	ュ	ウ	■	ー
ン	■	ヤ	ラ	■	エ	ン
ジ	ド	リ	■	カ	ス	ベ
エ	■	バ	カ	ラ	■	ル
ロ	ン	リ	テ	ツ	ガ	ク

タテ 1：ミケランジェロ 2：レゴン 3：阿修羅 4：流浪の民 5：シェーンベルク 9：シャリバリ 11：S・カルマ氏の犯罪 13：唐津焼 15：糧を棄てて船を沈む **ヨコ** 1：ミレニアル世代 6：毛蚕 7：春過ぎて夏来にけらし白妙の衣ほすてふ天の香具山 8：蘭州 10：屋良朝苗 11：えんのぎょうじゃ 12：地鶏 13：かすべ 14：バカラ 16：論理哲学論考

バ	ジ	リ	ス	ク	■	タ
ル	■	ユ	イ	ガ	ハ	マ
テ	ユ	ケ	ー	■	リ	ノ
ユ	■	イ	ト	ウ	セ	イ
ス	ガ	オ	■	カ	ン	ケ
■	ロ	ン	ゴ	■	ボ	■
キ	ア	■	ア	メ	ン	ボ

タテ 1：バルテュス　2：リュケイオン　3：スイート　4：陸羯南　5：玉(の)池　7：ハリセンボン　11：羽化登仙　13：ガロア　16：ゴア
ヨコ 1：バジリスク　6：由比ヶ(ガ)浜　8：テュケー　9：リノ　10：伊藤整　12：日本の素顔　14：菅家　15：犬に論語　17：起亜自動車　18：アメンボ

ウ	ー	ジ	■	ム	カ	デ
エ	■	カ	ー	ラ	イ	ル
ル	チ	ン	■	サ	カ	タ
ギ	ネ	■	バ	キ	ン	■
リ	ツ	コ	ク	シ	■	パ
ウ	■	ア	■	キ	モ	ウ
ス	ト	ラ	ス	ブ	ー	ル

タテ 1：ウェルギリウス　2：存在と時間　3：紫式部　4：会館　5：デルタ関数　8：地熱発電所　11：獏　13：コアラ　14：ヘルマン・パウル　16：リトル・モー　**ヨコ** 1：ウージ　3：ムカデ　6：カーライル　7：ルチン　9：坂田三吉　10：ギネ　11：曲亭馬琴　12：六国史　15：亀毛兎角　17：ストラスブール

コラムその②

中国四大一覧から

古代四大美女…西施、楊貴妃、貂蝉、王昭君。

四大名園…拙政園、頤和園、避暑山荘、留園。

四大名著…三国志演義、水滸伝、西遊記、紅楼夢。

四大仏教名山…五台山、峨眉山、普陀山、九華山。

戦国四公子…斉の孟嘗君、趙の平原君、魏の信陵君、楚の春申君。

バ	ー	ネ	ッ	ト	■	バ
ル	■	ゴ	ー	リ	キ	ー
ガ	タ	ロ	■	ウ	■	レ
ス	カ	■	ラ	ム	セ	ス
リ	オ	ネ	ス	■	ド	ク
ヨ	サ	■	キ	ョ	ウ	■
サ	ン	ゼ	ン	セ	カ	イ

タテ 1：バルガス(・)リョサ　2：根来(根來)寺　3：ゴッドファーザーPARTⅡ　4：トリウム　5：バーレスク　8：高尾山　10：ジョン・ラスキン　11：旋頭歌　16：寄席　**ヨコ** 1：バーネット　6：ゴーリキー　7：河太郎　9：スカ　10：ラムセス2世　12：リオネス　13：毒を食らわば皿まで　14：与謝蕪村　15：田舎の学問より京の昼寝　17：三千世界

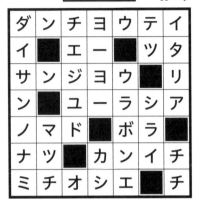

第14問
問題 32〜33ページ

ダ	ン	チ	ヨ	ウ	テ	イ
イ	■	エ	ー	■	ツ	タ
サ	ン	ジ	ヨ	ウ	■	リ
ン	■	ユ	ー	ラ	シ	ア
ノ	マ	ド	■	ボ	ラ	■
ナ	ツ	■	カ	ン	イ	チ
ミ	チ	オ	シ	エ	■	チ

タテ 1：第三の波　2：済州島　3：ヨーヨー　4：鉄は熱いうちに打て　5：イタリア　9：盂蘭盆会　11：白井義男　13：マッチ　16：華氏451度　17：乳と蜜の流れる地　**ヨコ** 1：断腸亭日乗　6：ビタミンA　7：お蔦　8：山上の垂訓　10：ユーラシア大陸　12：ノマド　14：ボラ　15：夏への扉　16：間貫一　18：道教え

第15問
問題 34〜35ページ

ア	ン	シ	■	ボ	ソ	ン
ナ	■	エ	イ	ヘ	イ	■
ミ	ノ	リ	■	ミ	ン	ネ
コ	ロ	ン	ビ	ア	■	イ
レ	■	グ	ン	■	カ	チ
チ	レ	■	タ	ホ	イ	ヤ
カ	イ	テ	ン	■	ギ	ー

タテ 1：阿南惟幾　2：シェリング　3：ボヘミア　4：訴因　7：ノロ　9：ネイチャー　11：ビンタン島　13：（ウィーン）会議　15：三顧の礼、三枝の礼　**ヨコ** 1：晏子　3：ボソン　5：永平寺　6：御法の花　8：ミンネ（ザング）　10：コロンビア（共和国）　12：郡　13：労働価値説　14：チレ　16：たほいや（屋）　17：回天　18：ギー

第16問
問題 36〜37ページ

ジ	ャ	ツ	カ	ル	■	シ
ユ	シ	■	ソ	ク	イ	ン
ウ	マ	コ	■	ス	エ	ズ
ノ	■	モ	ア	■	ズ	イ
メ	ト	ロ	ポ	リ	ス	■
ガ	シ	■	ロ	ツ	カ	ク
ミ	ユ	ロ	ン	■	イ	キ

タテ 1：自由の女神　2：屋島　3：可塑性物質　4：ルクス　5：小説神髄　8：イエズス会　10：小諸なる古城のほとり　13：アポロン　16：斗酒なお辞せず　17：律音階　20：九鬼水軍　**ヨコ** 1：ジャッカルの日　6：油脂　7：惻隠の情　9：（蘇我）馬子　11：スエズ運河　12：トマス・モア　14：隋　15：メトロポリス　18：瓦子（瓦市）　19：六角氏　21：ミュロン　22：壱岐

第17問
問題 38〜39ページ

モ	ン	ジ	ユ	■	ノ	ビ
ナ	■	グ	ン	ダ	リ	■
ド	ウ	ソ	タ	イ	■	ハ
■	イ	ー	■	バ	レ	イ
カ	ン	■	ア	ダ	ム	ズ
イ	ザ	ヤ	■	ツ	■	マ
バ	ー	ン	ス	タ	イ	ン

タテ 1：モナド　2：ジグソーパズル　3：ユンタ　4：七十にして心の欲する所に従って、矩を踰えず　6：提婆達多　8：ウィンザー家　9：ハイズマン賞　12：レム睡眠　13：海馬　16：イン・アンド・ヤン（yin and yang）　**ヨコ** 1：文殊菩薩　4：野火　5：軍荼利明王　7：同素体　10：ビタミンE　11：馬齢を重ねる　13：棺を蓋いて事定まる　14：ジョン・アダムズ　15：イザヤ書　17：レナード・バーンスタイン

ハ	イ	デ	ル	ベ	ル	ク
ム	■	イ	ス	イ	■	サ
レ	モ	ン	■	ト	レ	ビ
ツ	■	ゴ	ク	ソ	ツ	■
ト	ラ	■	ラ	ン	オ	ウ
ガ	イ	セ	イ	■	ウ	オ
タ	ル	コ	フ	ス	キ	ー

タテ 1：ハムレット型　2：ディンゴ　3：留守氏　4：ベイトソン　5：楔形文字　9：列王記　11：ヨハン・クライフ　13：ライル　15：ウォークライ　17：勢子　**ヨコ** 1：アルト・ハイデルベルク　6：渭水　7：檸檬　8：トレビの泉　10：獄卒　12：甲斐の虎　14：卵黄　16：抜山蓋世　18：水清ければ魚棲まず　19：タルコフスキー

フ	ク	バ	ラ	ハ	ッ	プ
リ	レ	ー	■	イ	■	ノ
ー	■	ク	ロ	イ	ド	ン
ダ	ム	■	ク	ロ	■	ペ
カ	イ	シ	ャ	■	キ	ン
ー	■	バ	オ	バ	ブ	■
ロ	ス	タ	ン	■	ツ	ツ

タテ 1：フリーダ（・）カーロ　2：呉　3：エドマンド・バーク　4：灰色の脳細胞　5：プノンペン　8：鹿野苑（園）　10：無為にして化す　13：柴田勝家　14：キブツ　**ヨコ** 1：フクバラハップ　6：リレー式計算機　7：クロイドン発12時30分　9：ダム　11：白を黒と言う　12：人口に膾炙する　14：金　15：バオバブ　16：ロスタン　17：ツツ

日本で編纂された六国史とは？

日本書紀（神代〜持統天皇、697年まで、30巻）、続日本紀（文武天皇〜桓武天皇、697〜791年、40巻）、日本後紀（桓武天皇〜淳和天皇、792〜833年、40巻）、続日本後紀（仁明天皇、833〜850年、20巻）、日本文徳天皇実録（文徳天皇、850〜858年、10巻）、日本三代実録（清和天皇〜光孝天皇、858〜887年、50巻）。

エ	イ	ジ	ハ	ツ	ポ	ウ
ラ	ン	チ	ャ	ー	■	エ
ト	ガ	■	カ	ル	メ	ン
ス	■	カ	ワ	■	グ	■
テ	コ	ネ	■	キ	レ	ジ
ネ	■	マ	ツ	リ	■	グ
ス	ズ	キ	ミ	エ	キ	チ

タテ 1：エラトステネス　2：因果応報　3：自治医科大学　4：早川雪洲　5：ツール・ド・フランス　6：烏焉魯魚　10：メグレ警視　11：鐘捲自斎　13：キリエ　14：地口　16：罪と罰　**ヨコ** 1：永字八法　7：ランチャー　8：利賀　9：カルメン　11：虎は死して皮を留め、人は死して名を残す　12：手こね寿司　13：切れ字　15：まつり縫い　17：鈴木三重吉

第21問
問題 46〜47ページ

マ	ル	タ	■	ハ	ギ	ス
ク	■	カ	カ	ク	■	タ
ラ	シ	ユ	モ	ア	サ	ン
ザ	■	カ	シ	■	テ	フ
キ	キ	■	カ	リ	イ	オ
■	ヤ	ジ	■	ザ	■	ー
ウ	パ	ニ	シ	ヤ	ッ	ド

タテ 1：指宿枕崎線　2：高床式建物　3：白亜紀　4：スタンフォード　6：ニホンカモシカ　8：エリック・サティ　12：ロバート・キャパ　14：利ざや　16：ジニ係数　**ヨコ** 1：マルタ（共和国）　3：ハギス　5：月日は百代の過客にして…　7：ラシュモア山　9：華氏　10：TeX　11：モンパルナスのキキ　13：仮庵の祭り　15：弥次喜多　17：ウバニシャッド

第22問
問題 48〜49ページ

ク	イ	ア	■	ア	シ	ビ
キ	リ	ユ	ウ	シ	■	デ
シ	ヤ	ツ	■	タ	カ	オ
ユ	■	イ	ナ	■	タ	■
ウ	ラ	シ	マ	タ	ロ	ウ
ゾ	■	ヨ	リ	■	ニ	オ
ウ	ト	ウ	■	ホ	ア	ン

タテ 1：九鬼周造　2：恐れ入谷の鬼子母神　3：阿諛追従　4：明日に道を聞かば夕べに死すとも可なり　5：ビデオ・アート　9：カタロニア讃歌　11：鉛　13：ウォン　**ヨコ** 1：クィア　4：馬酔木　6：鬼龍子　7：赤シャツ隊、黒シャツ隊　8：高雄　10：伊那　12：浦島太郎　14：栗（九里）より（四里）うまい十三里　15：にお　16：ウトウ　17：保安隊

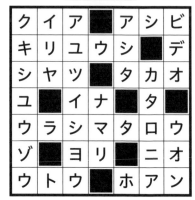

コラムその④

密教の五大明王の配置

中央…不動明王（大日如来の化身）

東方…降三世明王（ごうざんぜ）（阿閦如来の化身）（あしゅく）

南方…軍荼利明王（ぐんだり）（宝生如来の化身）（ほうしょう）

西方…大威徳明王（だいいとく）（阿弥陀如来の化身）

北方…金剛夜叉明王（東密系）（こんごうやしゃ）
　　　（不空成就如来の化身）（ふくうじょうじゅ）
　　　烏枢沙摩明王（台密系）（うすさま）

第23問
問題 50〜51ページ

カ	イ	ブ	ツ	セ	イ	ム
ー	■	ラ	ル	ゴ	■	サ
ル	ソ	ー	■	シ	ブ	シ
ク	リ	ム	ト	■	ラ	■
ラ	■	ス	ウ	イ	フ	ト
ウ	ミ	■	ナ	■	マ	ン
ス	ト	ラ	ス	バ	ー	グ

タテ 1：カール（・）クラウス　2：ブラームス　3：掃きだめに鶴　4：瀬越し　5：武蔵　8：ソリレス(Sot-l'y-laisse)　10：ブラフマー　12：唐茄子　14：トング　16：水戸学　**ヨコ** 1：開物成務　6：ラルゴ　7：アンリ・ルソー　9：志布志湾　11：クリムト　13：スウィフト　15：豊饒の海　17：トーマス・マン　18：ストラスバーグ

第24問
問題 52〜53ページ

ス	テ	■	コ	ル	セ	ア
ズ	イ	ヒ	ツ	■	カ	ダ
キ	イ	ス	■	タ	イ	ム
ダ	■	イ	コ	イ	■	ズ
イ	ス	■	レ	ガ	ス	ピ
セ	ノ	ウ	ミ	■	ピ	ー
ツ	ー	ク	ツ	ワ	ン	ク

タテ 1：鈴木大拙　2：程頤　3：忽　4：なぜ世界は存在しないのか　5：アダムズ（・）ピーク　7：翡翠　10：タイガ　12：惟光　14：エドガー・スノー　16：スピン　18：宇久島
ヨコ 1：棄丸(捨丸)　3：コルセア　6：随筆　8：華佗　9：ダニエル・キイス　10：タイム　11：いこい　13：椅子　15：レガスピ　17：せのうみ　19：P　20：ツークツワンク

第25問
問題 54〜55ページ

ゲ	ー	テ	■	イ	ヌ	イ
ゼ	■	レ	マ	ン	■	カ
ル	イ	ス	■	ベ	ギ	ン
シ	ン	コ	テ	ン	■	ソ
ヤ	シ	■	オ	シ	ョ	ク
フ	ヨ	ウ	■	ヨ	コ	タ
ト	ウ	ノ	バ	ン	メ	イ

タテ 1：ゲゼルシャフト　2：てれすこ　3：インベンション　4：衣冠束帯　7：印象・日の出　10：テオ　13：よこめ（横目）　15：ウノ　**ヨコ** 1：ゲーテ　3：戌亥　5：レマン湖　6：シンクレア・ルイス　8：ベギン　9：新古典学派　11：やし　12：汚職事件　14：芙蓉グループ　16：横田飛行場　17：湯の盤銘

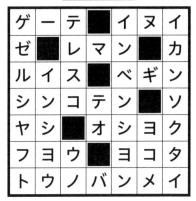

コラムその⑤

1より小さな数の数え方

0.1…分、0.01…厘、0.001…毛、(以下、順に)糸、忽、微、繊、沙、塵、挨、渺、漠、模糊、逡巡、須臾、瞬息、弾指、刹那、六徳、虚空、清浄、阿頼耶、阿摩羅、涅槃寂静。

白河法皇の天下三不如意

平安時代の白河法皇が、自分の意のままにならないものとしてあげた「賀茂川（鴨川）の水、双六の賽、山法師」の三つ。

第26問
問題 56〜57ページ

フ	ジ	ム	ラ	ミ	サ	オ
オ	■	ケ	■	イ	サ	ザ
ル	シ	ツ	ド	■	ゲ	キ
ス	ズ	■	ハ	ジ	■	ホ
タ	カ	マ	ツ	ジ	ョ	ウ
ツ	■	マ	■	ユ	■	サ
フ	カ	ン	ゼ	ン	セ	イ

タテ 1：フォルスタッフ　2：江戸無血開城　3：三井寺　4：ささげ　5：尾崎放哉　8：一人静、二人静　9：怒髪天を衝く　13：耳順　15：きょう、ママンが死んだ　**ヨコ** 1：藤村操　6：イサザ　7：ル（・）シッド　10：燧を飛ばす　11：錫　12：恥の文化　14：高松城　16：不完全制定理

133

第27問
問題 58〜59ページ

バ	ン	ビ	■	ヤ	エ	ス
ン	■	オ	ノ	マ	ト	ペ
ダ	ス	ウ	■	ダ	■	イ
ラ	サ	■	シ	コ	タ	ン
ナ	キ	リ	ユ	ウ	■	ヒ
イ	ワ	シ	■	サ	イ	ロ
ケ	ン	リ	ヨ	ク	■	バ

タテ 1：バンダラナイケ 2：未央宮 3：山田耕筰 4：干支 5：スペイン広場 8：須崎湾 10：朱に交われば赤くなる 12：利尻島
ヨコ 1：バンビ 3：八重洲 6：オノマトペ 7：打数 9：ラサ 10：色丹島 11：鳴き龍 13：鰯雲 14：サイロ 15：権力は腐敗する、絶対的権力は絶対に腐敗する

第28問
問題 60〜61ページ

タ	イ	ケ	■	ギ	ボ	シ
ツ	■	イ	シ	ヨ	■	ミ
タ	イ	キ	ヨ	ク	カ	ン
■	シ	ヨ	ツ	ト	■	シ
ド	イ	■	キ	■	オ	ヤ
コ	■	サ	ン	ト	ウ	カ
ヘ	ミ	ン	グ	ウ	エ	イ

タテ 1：竜田姫 2：軽挙妄動 3：玉兎 4：市民社会 6：ショッキング・ピンク 8：石井・ランシング協定 10：何処へ 11：黄衣 12：ザ・サン 13：唐 **ヨコ** 1：タイケ 3：擬宝珠 5：緯書 7：大局観 9：ショット・グラス 10：土居健郎 11：親の意見と冷や酒は後で効く 12：種田山頭火 14：ヘミングウェイ

第29問
問題 62〜63ページ

プ	ロ	コ	フ	イ	エ	フ
ラ	■	イ	ツ	ク	シ	マ
ハ	イ	チ	■	シ	ン	■
■	オ	ヤ	シ	オ	■	デ
ア	ン	■	キ	ン	シ	ユ
ラ	■	サ	サ	■	ト	バ
モ	ン	テ	イ	ホ	ー	ル

タテ 1：プラハ空港 2：濃茶手前 3：フツ族 4：イクシオン 5：恵信僧都 6：不磨の大典 9：イオン 12：色彩の魔術師 13：ロバート・デュバル 14：アラモ砦 16：シトー会 17：サテ **ヨコ** 1：プロコフィエフ 7：厳島 8：ハイチ（共和国） 10：秦 11：親潮 14：アン女王 15：禁酒法 17：笹に黄金がなりさがる 18：鳥羽・伏見の戦い 19：モンティ・ホール問題

第30問
問題 64〜65ページ

サ	イ	ゴ	ノ	ヒ	ト	ハ
ド	ン	ト	■	ド	ロ	ー
コ	ド	■	ド	ラ	ツ	グ
ウ	ラ	カ	ミ	■	キ	■
シ	■	モ	ノ	ポ	ー	ル
ヤ	マ	ガ	■	ー	■	テ
ク	■	ワ	シ	ン	ト	ン

タテ 1：サド侯爵夫人 2：インドラ 3：五斗 4：ヒドラ 5：トロツキー 6：ハーグ 10：ドミノ理論 12：賀茂川（鴨川）の水 14：ポーン 15：万物は流転する **ヨコ** 1：最後の一葉 7：ドント式 8：ドロー 9：弧度 10：ドラッグ・バント 11：浦上 13：モノポール 16：山鹿素行 17：ワシントン条約

第31問

ブ	ア	イ	ソ	ウ	■	ド
レ	フ	■	バ	イ	エ	ル
ト	ロ	ロ	■	グ	ン	■
ン	■	イ	グ	ナ	チ	オ
ウ	ル	ド	ウ	ー	■	オ
ツ	ル	■	ゼ	■	カ	ガ
ズ	ー	ビ	ン	メ	ー	タ

タテ 1：ブレトン（・）ウッズ　2：アフロ・アジア語族　3：そば清　4：ウィグナー　5：ドル　8：円地文子　10：ハロルド・ロイド　13：偶然性の音楽　14：大潟（村）　16：ガストン・ルルー　18：ディクスン・カー　**ヨコ** 1：武相荘　6：レフ・トルストイ　7：バイエル　9：とろろ汁　11：群の概念　12：聖イグナチオ教会　15：ウルドゥー語　17：つる　18：加賀（藩）　19：ズービン（・）メータ

第32問

ロ	ー	ム	■	タ	イ	コ
ー	■	リ	ズ	ム	■	ペ
マ	リ	ス	■	レ	ブ	ン
テ	セ	ウ	ス	■	ハ	ハ
イ	イ	■	ワ	イ	ラ	ー
コ	ド	ク	■	チ	■	ゲ
ク	ウ	エ	ジ	エ	リ	ン

タテ 1：ローマ帝国衰亡史　2：無理数　3：タムレ　4：コペンハーゲン　7：李政道　9：ブハラ　11：諏訪湖　15：一期一会　17：クエ　**ヨコ** 1：ローム　3：太湖　5：リズム　6：ロジャー・マリス　8：礼文島　10：テセウス　12：必要は発明の母　13：井伊氏　14：ウィリアム・ワイラー　16：百年の孤独　18：クゥエジェリン（環礁）

コラムその⑥

日本三景、新三景、三大がっかり

日本三景とは、江戸時代初期に林春斎が『日本国事跡考』に記した、松島、天橋立、宮島（厳島）。新三景は、1916年に『婦人世界』の読者投票で決められた、大沼公園、三保松原、耶馬渓。三大がっかりは、諸説ある中で一般的には、札幌の時計台、高知のはりまや橋、長崎のオランダ坂と言われることが多い。

第33問

ス	ア	レ	ス	■	ヒ	ジ
タ	マ	■	キ	セ	ノ	ン
ア	ル	ブ	ミ	ン	■	ギ
■	フ	ロ	■	カ	フ	カ
ド	イ	ツ	キ	シ	ダ	ン
ー	■	ケ	ー	■	サ	■
ア	ラ	ン	ス	ミ	シ	ー

タテ 1：スタア誕生　2：アマルフィ　3：剝き身　4：日野商人　5：神祇官　8：仙花紙（泉貨紙）　10：ブロッケン現象　13：札差　14：ロナルド・ドーア　15：キース・ヘリング　**ヨコ** 1：スアレス　4：非時　6：玉琢かざれば器を成さず　7：キセノン　9：アルブミン　11：風炉　12：カフカ　14：ドイツ騎士団　16：マーシャルのK　17：アラン（・）スミシー

ケ	ン	タ	ウ	リ	■	イ
ン	■	イ	ナ	リ	ワ	ン
ジ	エ	キ	■	ス	イ	コ
ヤ	ス	ヨ	シ	■	ダ	ウ
ノ	■	ク	ロ	エ	■	サ
イ	カ	ケ	■	ク	マ	デ
シ	ャ	ン	ポ	リ	オ	ン

タテ 1：賢者の石　2：太極拳　3：ウナ(電)　4：リリス　5：隠公左伝　7：アンジェイ・ワイダ　9：エス　12：子路　15：エクリ　17：蚊帳の外に置かれる　19：マオ(イズム)
ヨコ 1：アルファ・ケンタウリ　6：イナリワン　8：自益権　10：出挙　11：安吉　13：ダウ・ジョーンズ　14：ダフニスとクロエ　16：沃懸地　18：熊手　20：シャンポリオン

ス	ズ	キ	ハ	ル	ノ	ブ
ト	■	ク	レ	ー	■	ル
ツ	ボ	タ	■	ア	オ	キ
ク	ド	■	ギ	ン	■	ナ
ホ	ウ	シ	ヨ	■	ヌ	フ
ル	■	ナ	ウ	シ	カ	ア
ム	エ	ン	ザ	カ	■	ソ

タテ 1：ストックホルム　2：菊田一夫　3：晴れ　4：ルーアン　5：ブルキナファソ　8：母堂　11：餃子　13：あくび指南　14：糠に釘　16：中原に鹿を逐う　**ヨコ** 1：鈴木春信　6：パウル・クレー　7：坪田譲治　9：青木湖　10：苦土　11：(お)吟(さま)　12：奉書紙　14：ポン・ヌフ　15：ナウシカア　17：無縁坂

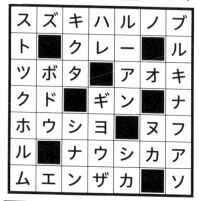

コラムその⑦

誰でもできる仏道修行 「無財の七施」とは?

眼施（げんせ）…優しい眼差しで接する。
和顔施（わげんせ）…和顔悦色施（えっじき）とも。にこやかな笑顔で接する。
言辞施（ごんじせ）…愛語施とも。優しい言葉で接する。
身施（しんせ）…体を使って奉仕する。
心施（しんせ）…人に対して心配りをする。
床座施（しょうざせ）…人に席や地位を譲る。
房舎施（ぼうじゃせ）…人に自分の家や部屋を提供する。

メ	カ	リ	■	ギ	ア	ナ
イ	シ	ョ	ウ	■	ラ	ン
ヨ	■	ジ	ツ	グ	ラ	ト
カ	イ	ユ	ボ	ッ	ト	■
ク	ー	ン	■	ピ	■	ソ
メ	グ	■	ビ	ー	ガ	ン
イ	ル	ハ	ン	■	レ	ミ

タテ 1：名誉革命　2：瑕疵担保責任　3：旅順　5：アララト山　6：ナントの勅令　8：靱猿　11：グッピー　13：イーグル　15：ソンミ事件　17：上田敏　18：エミール・ガレ　**ヨコ** 1：和布刈神事、和布刈神社　4：ギアナ高地　7：様々なる意匠　9：乱　10：ジッグラト　12：カイユボット　14：トーマス・クーン　16：メグ　17：ビーガン　19：イル・ハン国　20：レミ

第 **37** 問
問題 78〜79ページ

タ	イ	ゴ	テ	ツ	テ	イ
カ	ン	ザ	ン	■	ウ	ケ
ミ	カ	ン	セ	イ	■	ズ
セ	ム	■	イ	シ	ガ	キ
ン	■	ヒ	ゴ	■	ー	■
セ	カ	イ	■	タ	タ	ミ
キ	ア	ロ	ス	ク	ー	ロ

タテ 1：鷹見泉石 2：インカムゲイン 3：五山文学 4：転成語 5：盧泰愚 6：生食 10：転がる石に苔つかず 13：ガーター勲章 14：緋色の研究 16：つうと言えばかあ 17：鐸 18：ミロ **ヨコ** 1：大悟徹底 7：寒山 8：有卦に入る 9：未完成(交響曲) 11：セム族 12：石垣りん 14：肥後 15：世界革命論 17：畳薦、畳けめ 19：キアロスクーロ

第 **38** 問
問題 80〜81ページ

ベ	ル	ジ	ユ	ラ	ツ	ク
ラ	■	ソ	ウ	シ	■	リ
ミ	サ	ン	ガ	■	ト	コ
■	ク	■	オ	オ	キ	ミ
カ	シ	ワ	■	カ	ン	リ
ツ	■	ス	ダ	マ	■	ロ
パ	ノ	プ	テ	イ	コ	ン

タテ 1：ベラミ 2：児孫のために美田を買わず 3：夕顔 4：裸子植物 5：くりこみ理論 8：錯視 9：と金 11：御構い 12：カッパ(K、k) 13：ワスプ(WASP) 16：伊達(市) **ヨコ** 1：シラノ・ド・ベルジュラック 6：宋詩 7：ミサンガ 9：寝覚の床 10：おおきみ 12：かしわ 14：管理会計 15：すだま 17：パノプティコン

第 **39** 問
問題 82〜83ページ

ア	コ	ヤ	ガ	イ	■	キ
ク	ピ	ド	■	オ	グ	リ
マ	ル	■	コ	ウ	ジ	マ
■	ア	サ	ン	ジ	■	ン
ロ	ク	ハ	ラ	■	ア	ジ
ル	■	リ	ツ	シ	シ	ヤ
カ	サ	ン	ド	ラ	■	ロ

タテ 1：悪魔の辞典 2：コピ(・)ルアク 3：仮の宿 4：医王寺 5：キリマンジャロの雪 8：ぐじ 10：コンラッド 12：サハリン(島) 13：ガルシア・ロルカ 14：人間は考える葦である 16：しら(を切る) **ヨコ** 1：アコヤガイ 6：クピド 7：小栗判官 9：丸 10：幸島 11：ジュリアン・アサンジ 13：六波羅探題 14：阿字 15：立志社 17：カサンドラ

第 **40** 問
問題 84〜85ページ

マ	ン	ジ	ユ	シ	ヤ	ゲ
ル	■	ク	グ	ツ	■	ン
ヤ	マ	■	ノ	ド	グ	ロ
マ	ル	ゴ	ー	■	ラ	ク
マ	ス	イ	■	ナ	ン	ブ
サ	■	サ	ト	ミ	ト	ン
オ	ト	ギ	■	ブ	■	カ

タテ 1：丸山真男(眞男) 2：舳 3：ユグノー 4：湿度計 5：元禄文化 8：マルス 10：グラント 12：ゴイサギ(五位鷺) 15：ナミブ砂漠 **ヨコ** 1：曼珠沙華 6：くぐつ(傀儡) 7：山 9：ノドグロ 11：シャトー・マルゴー 13：楽焼 14：全身麻酔 15：南部藩 16：里見弴 17：御伽草子

ミ	ト	コ	ン	ド	リ	ア
カ	ム	リ	■	ラ	ン	グ
サ	ラ	ン	ス	ク	■	ラ
■	ウ	■	メ	マ	イ	■
イ	シ	ワ	タ	■	ツ	ブ
ナ	■	シ	ナ	イ	サ	ン
ダ	カ	ン	■	キ	イ	チ

タテ 1：三笠　2：トムラウシ山　3：コリン　4：ドラクマ　5：リン酸　6：安愚楽鍋　10：スメタナ　12：一切種智　13：イナダ　14：日米和親条約　17：文治政治　18：闇　**ヨコ** 1：ミトコンドリア　7：冠　8：ラング　9：サランスク　11：めまい　13：石綿　15：ツブ　17：シナイ山　19：兌換銀行券　20：鬼一法眼

コ	フ	ク	■	オ	メ	ガ
ウ	イ	ロ	ウ	ウ	リ	■
ジ	ー	■	タ	■	エ	ア
ユ	ト	ラ	ン	ド	■	カ
ン	■	イ	ト	ウ	ノ	エ
シ	ル	ム	■	ガ	■	ボ
ヤ	ナ	ギ	ム	ネ	ヨ	シ

タテ 1：交詢社　2：フィート　3：黒の試走車　4：王の鼻　5：メリエ　7：ウ(・)タント　10：亭主の好きな赤烏帽子　12：ライ麦畑でつかまえて　13：胴金(筒金)　16：ルナ(3号)　**ヨコ** 1：鼓腹撃壌　4：オメガ(Ω、ω)　6：外郎売　8：g　9：ジェーン・エア　11：ユトランド半島　14：伊藤野枝　15：シルム　17：柳宗悦

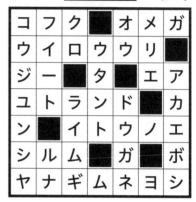

コラムその⑧

ラグビーの背番号とポジション

1、3…左、右のプロップ

2…フッカー

4、5…左、右のロック

6、7…左、右のフランカー

8…ナンバーエイト

9…スクラムハーフ

10…スタンドオフ

11、14…左、右のウィング

12、13…左、右のセンター

15…フルバック

ラ	フ	ア	イ	エ	ッ	ト
ザ	■	カ	ス	ミ	マ	ク
ロ	ボ	ト	ミ	ー	■	イ
■	ダ	ク	■	ル	ッ	ツ
カ	イ	ロ	ス	■	イ	■
カ	ジ	■	ク	オ	ー	ク
リ	ュ	ウ	セ	ン	ド	ウ

タテ 1：ラザロ　2：赤と黒　3：いすみ(市)　4：エミール　5：つま　6：徳一　9：菩提樹　12：ツイード　13：係り結びの法則　14：宿世　17：恩　18：空集合　**ヨコ** 1：ラファイエット夫人　7：霞幕　8：ロボトミー　10：跑足(諸足)　11：ルッツ(ジャンプ)　13：カイロス　15：火事と喧嘩は江戸の花　16：クォーク　19：龍泉洞

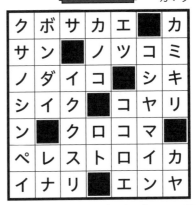

第44問
問題 92〜93ページ

ギ	シ	■	ヒ	コ	バ	エ
ツ	ヤ	モ	ノ	■	ク	■
フ	セ	■	ハ	コ	ガ	キ
エ	キ	バ	シ	ヤ	■	ク
ン	■	バ	ラ	■	オ	ニ
ザ	ク	ロ	■	サ	ン	ガ
イ	チ	ア	ク	ノ	ス	ナ

タテ 1：ギッフェン財　2：沙石集　3：火の柱　4：麦芽糖　8：アンクル・トムの小屋　9：キクニガナ（菊苦菜）　11：ババロア　13：オンス　15：人の口に戸は立てられぬ　16：佐野源左衛門常世　**ヨコ** 1：魏志　3：ひこばえ　5：艶物　6：布施　7：箱書　10：駅馬車　12：薔薇の名前　13：鬼も十八番茶も出花　14：ザクロ（柘榴）　16：国破れて山河あり　17：一握の砂

第45問
問題 94〜95ページ

ク	ボ	サ	カ	エ	■	カ
サ	ン	■	ノ	ツ	コ	ミ
ノ	ダ	イ	コ	■	シ	キ
シ	イ	ク	■	コ	ヤ	リ
ン	■	ク	ロ	コ	マ	■
ペ	レ	ス	ト	ロ	イ	カ
イ	ナ	リ	■	エ	ン	ヤ

タテ 1：草野心平　2：ボンダイブルー　3：岡本かの子　4：越　5：カミキリムシ　8：コシャマイン　10：生薬（いきぐすり）　13：心得　15：ロト　17：レナ川　18：茅誠司　**ヨコ** 1：久保栄　6：酸（性）　7：乗っ込み　9：野だいこ　11：史記　12：飼育　13：アルプス一万尺 小槍の上で　14：黒駒勝蔵　16：ペレストロイカ　19：稲荷　20：塩冶判官

第46問
問題 96〜97ページ

ア	オ	ノ	ド	ウ	ク	ツ
オ	ン	ガ	■	ベ	ー	タ
イ	コ	ミ	キ	■	ペ	ン
シ	チ	■	コ	ケ	■	カ
モ	シ	オ	■	チ	タ	ー
サ	ン	ス	イ	ガ	■	メ
カ	■	ロ	ビ	ン	ソ	ン

タテ 1：葵下坂　2：温故知新　3：野上弥生子　4：宇部（市）　5：クーペ　6：ツタンカーメン　10：騎虎の勢い　14：結願　16：オスロ　19：揖斐川　**ヨコ** 1：青の洞窟　7：遠賀川　8：ベータ（β）・カロテン　9：いこみき　11：ウィリアム・ペン　12：死地に陥れて然る後に生く　13：虚仮　15：藻塩　17：チター　18：山水画　20：ジョーン・ロビンソン

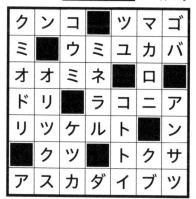

ク	ン	コ	■	ツ	マ	ゴ
ミ	■	ウ	ミ	ユ	カ	バ
オ	オ	ミ	ネ	■	ロ	■
ド	リ	■	ラ	コ	ニ	ア
リ	ツ	ケ	ル	ト	■	ン
■	ク	ツ	■	ト	ク	サ
ア	ス	カ	ダ	イ	ブ	ツ

タテ 1：組踊　2：小海線　3：露と落ち 露と消えにし我が身かな　4：マカロニ・ウェスタン　5：後場　7：ミネラル　9：オリックス　12：言問　13：暗殺　15：結跏趺坐　18：九分九厘

ヨコ 1：訓詁学　3：妻籠(宿)　6：海行かば　8：大峰山　10：鳥は食うともどり食うな　11：ラコニア(県)　14：リッケルト　16：赤い靴　17：トクサ科　19：飛鳥大仏

ジ	ョ	ー	ジ	ア	■	ハ
ヤ	ー	■	ヤ	ハ	ハ	ダ
コ	ク	ジ	ン	レ	イ	カ
メ	■	ヒ	モ	■	ジ	カ
ツ	キ	■	ネ	ム	■	メ
テ	ン	グ	■	エ	ナ	ガ
イ	ト	ウ	ジ	ン	サ	イ

タテ 1：ジャコメッティ　2：ヨーク家　3：ジャン(・)モネ　4：あはれ　5：ハダカカメガイ科　8：アルプスの少女ハイジ　10：慈悲　14：勧斗雲　16：無縁法界　18：ぐうの音も出ない　20：NASA

ヨコ 1：ジョージア　6：ヤー・チャイカ　7：やは肌のあつき血汐に　9：黒人霊歌　11：ひも理論　12：流行性耳下腺炎　13：月に吠える　15：ねむ(合歓)の木　17：天狗倶楽部　19：エナガ　21：伊藤仁斎

ペ	ー	ル	ギ	ュ	ン	ト
ン	■	ド	ロ	ン	■	ル
テ	レ	ン	■	カ	ス	バ
シ	オ	■	コ	ー	ル	ド
レ	ン	コ	ウ	■	ト	ウ
イ	■	ク	シ	マ	■	ー
ア	ル	チ	ュ	セ	ー	ル

タテ 1：ペンテシレイア　2：ルドン　3：ギロ　4：ユンカー　5：トルバドゥール　8：レオン　10：スルト　12：甲種合格　14：国恥記念日　17：籬垣

ヨコ 1：ペール(・)ギュント　6：ドロン・ゲーム　7：手練手管　9：カスバ　11：青菜に塩　12：コールド・マウンテン　13：連衡策　15：臺が立つ　16：串間市　18：アルチュセール

シ	ア	ヌ	ー	ク	ビ	ル
エ	リ	ー	■	オ	オ	マ
フ	ス	■	サ	ッ	ト	ン
チ	■	フ	ッ	カ	ー	■
エ	ロ	イ	カ	■	プ	レ
ン	■	ヒ	レ	イ	■	テ
コ	ノ	テ	ー	シ	ョ	ン

タテ 1：シェフチェンコ　2：アリス　3：ヌー　4：クォッカ　5：ビオトープ　6：ル(・)マン　10：サッカレー　11：フィヒテ　14：レ点　16：他山の石

ヨコ 1：シアヌークビル　7：エリー湖　8：大間　9：フス　10：サットン　11：フッカー　12：エロイカ　13：プレ　15：比例限界内で応力に比例する　17：コノテーション

第51問

キ	ス	カ	■	ヤ	ケ	イ
ン	■	イ	タ	メ	■	ー
ウ	ワ	ジ	マ	■	テ	ス
ギ	リ	■	モ	ペ	ツ	ト
ヨ	ゴ	ト	■	ン	■	エ
ク	■	リ	ク	ギ	エ	ン
ト	ラ	ノ	モ	ン	■	ド

タテ 1：金烏玉兎　2：海事代理士　3：八女(市)　4：イースト(・)エンド　6：玉藻(の)前　8：割子そば　9：轍を踏む　12：ペンギン・ブックス　14：トリノ　16：雲　**ヨコ** 1：キスカ島　3：夜警　5：板目　7：宇和島(市)　9：テス　10：義理一遍　11：モペット　13：寿詞(賀詞)　15：六義園　17：虎ノ門事件

第52問

マ	ル	チ	チ	ュ	ー	ド
ン	■	チ	カ	イ	■	ウ
ヨ	ウ	カ	■	エ	モ	ジ
ウ	■	カ	ホ	ン	■	ユ
シ	バ	コ	ウ	■	パ	ン
ユ	ー	■	ブ	ロ	ー	カ
ウ	ン	セ	ツ	ト	■	イ

タテ 1：万葉集　2：チチカカ湖　3：知価革命　4：唯円　5：同潤会　10：放物線　12：バーン(b)　13：トーマス・パー　16：ロト　**ヨコ** 1：マルチチュード　6：ヒポクラテスの誓い　7：ヨウ化銀　8：絵文字　9：カホン　11：司馬光　13：パン　14：U　15：ブローカ野　17：ウンセット

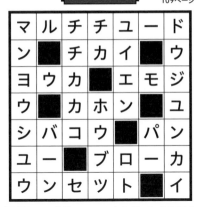

コラムその⑩

世界三大あれこれ②

織物…ゴブラン織り（フランス）、ペルシャ絨毯（イラン）、大島紬（鹿児島県）。

音楽コンクール…チャイコフスキー国際コンクール（ロシア）、ショパン国際ピアノコンクール（ポーランド）、エリザベート王妃国際音楽コンクール（ベルギー）。

レース…インディ500（アメリカ合衆国）、ル・マン24時間レース（フランス）、モナコグランプリ。

第53問

リ	ヨ	ウ	サ	イ	シ	イ
ー	■	シ	■	マ	サ	ツ
プ	シ	ュ	ケ	ー	■	チ
ク	■	マ	■	ゴ	シ	ヤ
ネ	ア	ル	コ	■	シ	ク
ヒ	ジ	■	ツ	ネ	ア	シ
ト	ロ	ン	プ	ル	イ	ユ

タテ 1：カール・リープクネヒト　2：ウシュマル　3：イマーゴ　4：視差　5：一探手　9：肉合研出蒔絵　11：網代　12：COP　16：ネルドリップ　**ヨコ** 1：聊斎志異　6：摩擦的失業　7：プシュケー　8：五社英雄　10：ネアルコ　13：四苦　14：肘を曲げる　15：常足　17：トロンプ(・)ルイユ

第54問

イ	コ	マ	■	ア	ジ	ア
チ	■	カ	モ	メ	■	ン
ニ	エ	■	ガ	ニ	メ	デ
ト	シ	ヨ	リ	■	タ	パ
ラ	ン	シ	■	ヒ	テ	ン
ア	■	ザ	ツ	ソ	■	ダ
リ	ク	キ	ユ	ウ	エ	ン

タテ 1：市に虎あり 2：摩訶 3：飴煮 4：アンデパンダン 6：虎落 8：回心 10：目立て 12：吉崎御坊 15：悲愴 17：露
ヨコ 1：生駒聖天、生駒山 3：あじあ号 5：かもめ 7：にえ（沸、鎩） 9：ガニメデ 11：年寄 13：タパ 14：乱視 15：飛天 16：雑訴決断所 18：陸九淵

第55問

ガ	ラ	ク	タ	ブ	ン	コ
ル	ソ	ン	■	ル	■	ロ
ガ	ツ	コ	ウ	ボ	サ	ツ
ン	■	ク	ミ	ン	■	サ
チ	タ	■	セ	■	ハ	ス
ユ	イ	シ	ン	ロ	ン	■
ア	カ	バ	■	キ	カ	イ

タテ 1：ガルガンチュア 2：邏卒 3：訓告 4：ブルボン（朝） 5：コロッサス 8：海千山千 11：大化 12：半跏思惟像 14：芝（区） 15：ロキ
ヨコ 1：我楽多文庫 6：ルソン島 7：月光菩薩 9：クミン 10：知多半島 12：蓮 13：唯心論 16：アカバ湾 17：鬼界ヶ島

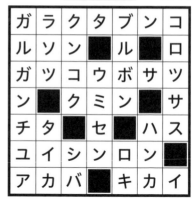

コラムその⑪

東京市35区の旧区名

麹町区、神田区、日本橋区、京橋区、芝区、麻布区、赤坂区、四谷区、牛込区、淀橋区、小石川区、本郷区、下谷区、浅草区、本所区、向島区、深川区、城東区、品川区、荏原区、目黒区、大森区、蒲田区、世田谷区、渋谷区、中野区、杉並区、豊島区、滝野川区、王子区、荒川区、板橋区（現・練馬区含む）、足立区、葛飾区、江戸川区。

第56問

ピ	ユ	リ	ツ	ツ	ア	ー
エ	■	ソ	■	エ	イ	■
タ	ベ	ル	ナ	■	ラ	チ
■	ク	ジ	ヤ	ク	■	ヨ
ヒ	ト	メ	■	ラ	グ	ー
エ	ル	ン	ス	ト	■	サ
ン	■	ト	イ	ン	ビ	ー

タテ 1：ピエタ 2：リソルジメント 3：転ばぬ先の杖 4：アイラ島 7：ベクトル 8：納屋米 10：チョーサー 12：クラトン 13：飛燕 16：酸いも甘いも噛み分ける **ヨコ** 1：ピュリッツァー 5：嬰記号 6：タベルナ 9：埒 11：孔雀明王 13：一目千本 14：ラグー 15：エルンスト 17：トインビー

イ	ン	キ	ユ	ナ	ブ	ラ
オ	■	ウ	ラ	ワ	■	ブ
リ	グ	イ	■	ト	ラ	■
モ	ロ	■	ダ	ビ	ド	フ
ツ	ー	ソ	ン	■	ク	ジ
コ	ブ	■	チ	ロ	リ	■
ウ	ザ	ワ	ヒ	ロ	フ	ミ

タテ 1：庵木瓜　2：キウイ　3：由良　4：縄跳び　5：ラブ　8：グローブ座　10：ラドクリフ大学　12：ダンチヒ　13：富士　18：ロロ
ヨコ 1：インキュナブラ　6：鎌倉文士に浦和画家　7：利食い千両　9：虎　11：モロ　12：ダビドフ　14：ツーソン　15：久慈　16：コブサラダ　17：チロリ　19：宇沢弘文

サ	ン	チ	ヨ	パ	ン	サ
ン	■	ノ	モ	ス	■	ン
キ	ヨ	ウ	ギ	■	ミ	ミ
ヨ	■	ハ	■	ソ	ス	イ
ウ	オ	ン	サ	ン	■	ツ
ダ	シ	■	カ	キ	カ	タ
ム	カ	イ	キ	ヨ	ラ	イ

タテ 1：三峡ダム　2：知能犯　3：蓬　4：オクタビオ・パス　5：三位一体　8：ミス　9：蹲踞　11：牡鹿半島　12：榊　15：唐衣
ヨコ 1：サンチョパンサ　6：ノモス　7：経木　8：忠言耳に逆らう　9：疎水　10：元山　13：山車　14：書き方　16：向井去来

ヘ	ツ	ダ	■	ダ	ラ	ス
ル	バ	イ	ヤ	ー	ト	■
マ	ル	■	バ	ビ	ル	サ
ン	■	フ	ケ	ー	■	ン
ヘ	イ	タ	イ	■	シ	デ
ツ	■	ア	■	レ	ン	マ
セ	カ	イ	セ	イ	シ	ン

タテ 1：ヘルマン（・）ヘッセ　2：ツバル　3：ピート・ダイ　4：日本ダービー　5：サイモン・ラトル　7：耶馬渓　10：サンデマン　11：二藍　13：紳士録　14：鳩に三枝の礼あり　**ヨコ** 1：ヘッダ・ガーブレル　4：ダラス・フォートワース国際空港　6：ルバイヤート　8：本丸、二の丸　9：バビルサ　11：フケー　12：麦と兵隊　13：紙垂　14：レンマ　15：世界精神が馬に乗って通る

タ	イ	ギ	メ	イ	ブ	ン
ケ	■	タ	イ	セ	ツ	■
ヒ	コ	ー	キ	■	ト	シ
サ	イ	■	ヨ	シ	■	ヨ
ユ	■	ニ	ウ	エ	ト	ウ
メ	フ	ン	■	リ	■	ナ
ジ	エ	フ	ア	ー	ソ	ン

タテ 1：竹久夢二　2：クラシックギター　3：明鏡止水　4：伊勢　5：ベナジル・ブット　：故意　10：湘南　13：シェリー　14：ニンフ　16：フエ　**ヨコ** 1：大義名分論　6：御大切　7：素晴らしきヒコーキ野郎　9：都市の空気は自由にする　11：賽は投げられた　12：葦の髄から天井のぞく　14：ニウエ島　15：めふん　17：ジェファーソン

問題と解答制作：キューパブリック
デザイン：出渕諭史(cycledesign)
イラスト：池田伸子(cycledesign)
編集協力：上村絵美
編　　集：小田切英史(主婦と生活社)

＊本書は、日本経済新聞[日曜版]NIKKEI The STYLEで連載中の「Challenge!
　CROSSWORD」の問題と解答を再編集して単行本化したものです。
　問題と解答は原則として日本経済新聞に掲載時のもので、表記法など、時
　代の変化や学説などで異説がある場合もあります。

超難問クロスワード
悪戦苦闘編

制　作　　キューパブリック
編集人　　澤村尚生
発行人　　倉次辰男
発行所　　株式会社主婦と生活社
　　　　　〒104-8357 東京都中央区京橋3-5-7
　　　　　TEL 03-3563-5058(編集部)
　　　　　TEL 03-3563-5121(販売部)
　　　　　TEL 03-3563-5125(生産部)
　　　　　https://www.shufu.co.jp
印刷所　　大日本印刷株式会社
製本所　　株式会社若林製本工場

ISBN978-4-391-15947-9